bibliocollège

Vanina Vanini

Stendhal

Notes, questionnaires et dossier Bibliocollège
par Isabelle de LISLE,
agrégée de Lettres modernes,
professeur en collège et en lycée

Crédits photographiques

pp. 4, 7, 11, 13, 15, 17, 21, 23, 31, 33, 38, 49 bas, 52 haut, 55, 59, 65, 69, 80, 87, 89 : © Photothèque Hachette Livre. **pp. 5, 9 haut et bas, 49 haut, 52 bas :** © Collection Christophel. **p. 39 :** © Cartographie Hachette Éducation.

Conception graphique

Couverture : *Laurent Carré*

Intérieur : *ELSE*

Mise en page

Médiamax

Illustration des questionnaires

Harvey Stevenson

ISBN : 2.01.169190.7

Sommaire

Henri Beyle, dit Stendhal (1783-1842), dessin de Soderwack.

Introduction

Les premières pages de *Vanina Vanini* ne sont pas sans évoquer le roman que Madame de La Fayette écrivit en 1678, *La Princesse de Clèves*. L'amour passionné mais impossible du duc de Nemours et de la princesse de Clèves prend naissance un soir de bal : la plus belle femme de la cour d'Henri II danse avec le plus bel homme qui soit.

Dans la nouvelle de Stendhal, la plus belle princesse de Rome, la jeune Vanina Vanini, danse avec le plus élégant des jeunes Romains, Livio Savelli. Cependant, le modèle est brouillé : tout ne se passe pas comme chez Madame de La Fayette. Le beau prince ne parvient pas à séduire la jeune fille. Il ne lui plaît pas, il l'ennuie. Pourtant la scène du bal, comme dans *La Princesse de Clèves*, reste le cadre d'une première rencontre : Vanina entend parler d'un carbonaro qui est parvenu à s'échapper de la prison du fort Saint-Ange. L'anecdote est romanesque, cela suffit à séduire la jeune fille. Voilà pour la scène du coup de foudre : Stendhal se joue

bien des modèles et échafaude sa propre intrigue en brodant la passion sur la trame d'un canevas renouvelé.
À la différence de Madame de Clèves, l'héroïne passionnée du XIXe siècle n'est plus déchirée entre sa passion et son devoir. Consciente de son rang et de sa fortune, Vanina met tout – et tout le monde – au service de sa passion pour Pietro Missirilli, le jeune carbonaro qui s'est réfugié chez elle. Elle ira jusqu'à la trahison pour tenter de garder auprès d'elle son amant. Et c'est là que l'amour romantique rejoint l'absolu de la passion chez Madame de La Fayette. Le rapprochement ne va cependant pas plus loin. Car l'aristocratie, à la différence de ce qui se passe au XVIIe siècle, n'est plus un modèle social à l'époque de *Vanina Vanini* et Stendhal, en homme déçu par les espoirs trompés de la Révolution et de l'Empire, situe son intrigue dans une Italie dont il analyse froidement les rouages. Le lecteur verra sûrement d'ailleurs des points communs avec la société française de la Restauration.
Une intrigue amoureuse qui renouvelle le schéma posé par Madame de La Fayette, une peinture de la société italienne dans les premières années d'un mouvement qui conduira à l'unité politique des États de la péninsule : Stendhal croise le fil du romanesque, celui de l'analyse de la passion et celui, plus réaliste, de l'évocation d'une société dans laquelle l'aspiration à l'idéal est incarnée par le mouvement des carbonari. Le récit est court et simple ; tout l'art de Stendhal consiste à tisser ces trois fils avec le plus de finesse possible. Il suggère autant qu'il raconte et il nous invite ainsi à participer à la création de l'histoire, à entrer avec ses héros dans le palais du duc de B***, *« un soir du printemps de 182* »*…

Vanina Vanini ou Particularités sur la dernière vente[1] de carbonari[2], découverte dans les États du pape[3]

C'était un soir du printemps de 182★. Tout Rome était en mouvement : M. le duc de B★★★, ce fameux banquier, donnait un bal dans son nouveau palais de la place de Venise. Tout ce que les arts de l'Italie, tout ce que le luxe de Paris et de Londres peuvent produire de plus magnifique avait été réuni pour l'embellissement de ce palais. Le concours[4] était immense. Les beautés blondes et réservées de la noble Angleterre avaient brigué[5] l'honneur d'assister à ce bal ; elles arrivaient en foule. Les plus belles femmes de Rome leur disputaient le prix de la beauté. Une jeune fille que l'éclat de ses yeux et ses cheveux d'ébène[6] proclamaient Romaine entra conduite par son père ; tous les regards la suivirent.

notes

1. ***vente :*** réunion secrète d'un groupe de carbonari.
2. ***carbonari :*** membres d'une société secrète italienne qui combattait au début du XIXe siècle pour la liberté.
3. ***États du pape :*** région de l'Italie gouvernée par le pape.
4. ***concours :*** quantité de personnes réunies.
5. ***brigué :*** ardemment désiré.
6. ***ébène :*** bois précieux de couleur noire.

Un orgueil singulier éclatait dans chacun de ses mouvements.

15 On voyait les étrangers qui entraient frappés de la magnificence[1] de ce bal. « Les fêtes d'aucun des rois de l'Europe, disaient-ils, n'approchent point de ceci. »

Les rois n'ont pas un palais d'architecture romaine : ils sont obligés d'inviter les grandes dames de leur cour ; 20 M. le duc de B★★★ ne prie[2] que de jolies femmes. Ce soir-là il avait été heureux dans ses invitations ; les hommes semblaient éblouis. Parmi tant de femmes remarquables il fut question de décider quelle était la plus belle : le choix resta quelque temps indécis ; mais enfin la princesse Vanina 25 Vanini, cette jeune fille aux cheveux noirs et à l'œil de feu, fut proclamée la reine du bal. Aussitôt les étrangers et les jeunes Romains, abandonnant tous les autres salons, firent foule dans celui où elle était.

Son père, le prince don Asdrubale Vanini, avait voulu 30 qu'elle dansât d'abord avec deux ou trois souverains d'Allemagne. Elle accepta ensuite les invitations de quelques Anglais fort beaux et fort nobles ; leur air empesé[3] l'ennuya. Elle parut prendre plus de plaisir à tourmenter le jeune Livio Savelli qui semblait fort amoureux. 35 C'était le jeune homme le plus brillant de Rome, et de plus lui aussi était prince ; mais si on lui eût donné à lire un roman, il eût jeté le volume au bout de vingt pages, disant qu'il lui donnait mal à la tête. C'était un désavantage aux yeux de Vanina.

40 Vers le minuit une nouvelle se répandit dans le bal, et fit assez d'effet. Un jeune carbonaro, détenu au fort Saint-Ange[4], venait de se sauver le soir même, à l'aide d'un

notes

1. magnificence : splendeur.
2. prie : invite.
3. empesé : affecté, manquant de naturel.
4. fort Saint-Ange : à Rome, le château Saint-Ange servait de prison.

***Le Guépard*, film italien de Luchino Visconti, 1963 : ci-dessus, le bal chez le prince don Fabrizio Salina, interprété par Burt Lancaster ; ci-contre, Claudia Cardinale, dans le rôle de la belle Angelica.**

déguisement, et, par un excès d'audace romanesque, arrivé au dernier corps de garde de la prison, il avait attaqué les 45 soldats avec un poignard ; mais il avait été blessé lui-même, les sbires[1] le suivaient dans les rues à la trace de son sang, et on espérait le ravoir.

Comme on racontait cette anecdote, don Livio Savelli, ébloui des grâces et des succès de Vanina, avec laquelle il 50 venait de danser, lui disait en la reconduisant à sa place, et presque fou d'amour :

– Mais, de grâce, qui donc pourrait vous plaire ?

– Ce jeune carbonaro qui vient de s'échapper, lui répondit Vanina ; au moins celui-là a fait quelque chose de 55 plus que de se donner la peine de naître[2].

Le prince don Asdrubale s'approcha de sa fille. C'est un homme riche qui depuis vingt ans n'a pas compté avec son intendant[3], lequel lui prête ses propres revenus à un intérêt fort élevé[4]. Si vous le rencontrez dans la rue, vous le 60 prendrez pour un vieux comédien ; vous ne remarquerez pas que ses mains sont chargées de cinq ou six bagues énormes garnies de diamants fort gros. Ses deux fils se sont faits jésuites[5], et ensuite sont morts fous. Il les a oubliés ; mais il est fâché que sa fille unique, Vanina, ne veuille pas 65 se marier. Elle a déjà dix-neuf ans, et a refusé les partis les plus brillants. Quelle est sa raison ? la même que celle de Sylla[6] pour abdiquer, *son mépris pour les Romains*.

notes

1. ***sbires :*** agents de police.

2. ***se donner la peine de naître :*** allusion au monologue (acte V, scène 3) de Figaro dans *Le Mariage de Figaro* de Beaumarchais (1783) : « Vous vous êtes donné la peine de naître et rien de plus. »

3. ***intendant :*** personne chargée de s'occuper des comptes.

4. ***prête* […] *fort élevé :*** le fait de prêter l'argent du prince à un fort taux d'intérêt ne fait qu'accroître la fortune de ce dernier.

5. ***jésuites :*** religieux de l'ordre de la Compagnie de Jésus fondé au XVIe siècle par Ignace de Loyola.

6. ***Sylla :*** dictateur de la Rome antique (138-78 av. J.-C.) qui abdiqua en 79 av. J.-C.

Rome, le château Saint-Ange.

Au fil du texte

Questions sur l'extrait des pages 7 à 11

AVEZ-VOUS BIEN LU ?

1. Dans quelle ville et à quelle époque se déroule l'action ?

2. À quel milieu social les personnages présents appartiennent-ils ?

3. À quels personnages se rapportent les adjectifs qualificatifs suivants : *« singulier »*, *« amoureux »*, *« romanesque »*, *« riche »* ?

***champ lexical* :** **ensemble des termes qui se rapportent à une même notion.**

***superlatif relatif* :** **forme d'un adjectif (ou d'un adverbe) qui permet de comparer un élément à un ensemble. Exemples : « le plus … de », « le moins … de ».**

ÉTUDIER LE VOCABULAIRE ET LA GRAMMAIRE : LE CADRE DE L'ACTION

4. Quel est le temps dominant dans le premier paragraphe ? Quelle est sa valeur ?

5. Quels autres temps rencontre-t-on dans le premier paragraphe ? Expliquez leur emploi.

6. Relevez le champ lexical* du luxe.

7. Relevez deux adjectifs qualificatifs au superlatif relatif*. Que concourent-ils à exprimer ?

8. En vous appuyant notamment sur l'emploi du singulier et du pluriel, commentez la phrase qui relate l'apparition de Vanina au bal.

ÉTUDIER LES PERSONNAGES

9. Quelles sont les différentes expressions au pluriel qui désignent les personnages présents ?

10. Quels sont les personnages, au singulier, qui se détachent ?

11. Le lecteur découvre progressivement Vanina. Quelles sont les différentes étapes de cette découverte ?

12. Qu'apprend-on au sujet de Vanina ?

ÉTUDIER UN INCIPIT*

13. Dans quelle mesure l'incipit répond-il aux questions « où », « quand » et « qui » ?

14. En quoi peut-on dire que ces premières pages indiquent que la nouvelle appartient au genre de la chronique* ?

15. Pourquoi l'histoire du jeune carbonaro est-elle qualifiée d'*« anecdote »* (l. 48) par Stendhal ?

16. Quelles hypothèses le lecteur peut-il formuler pour la suite de l'histoire, à la lecture des deux répliques du passage (l. 52 à 55) ?

***incipit* :** mot latin qui signifie « il commence » ; terme utilisé pour désigner l'ouverture d'une œuvre narrative

***chronique* :** récit qui met en avant un contexte historique.

Statue équestre de Sylla, monnaie romaine, 80 av. J.-C.

LIRE L'IMAGE

17. Observez les images du film *Le Guépard*, page 9. Quels éléments expriment le luxe dans lequel vivent les personnages ?

18. En quoi ces images peuvent-elles, selon vous, illustrer les premières pages de *Vanina Vanini* ?

À VOS PLUMES !

19. Un des invités du bal raconte à Vanina l'évasion du jeune carbonaro. En vous appuyant sur les indications données dans le passage, rédigez ce récit. Le temps dominant doit être le passé composé.

20. Imaginez l'incipit d'une chronique du XXIe siècle : présentez le cadre de l'action avant de faire apparaître votre personnage principal.

Le palais Farnèse à Rome, gravure de Giambattista Piranesi, dit Piranèse (1720-1778).

Le lendemain du bal, Vanina remarqua que son père, le plus négligent des hommes, et qui de la vie ne s'était donné la peine de prendre une clef, fermait avec beaucoup d'attention la porte d'un petit escalier qui conduisait à un appartement situé au troisième étage du palais. Cet appartement avait des fenêtres sur une terrasse garnie d'orangers. Vanina alla faire quelques visites dans Rome ; au retour, la grande porte du palais étant embarrassée par les préparatifs d'une illumination, la voiture rentra par les cours de derrière. Vanina leva les yeux, et vit avec étonnement qu'une des fenêtres de l'appartement que son père avait fermé avec

tant de soin était ouverte. Elle se débarrassa de sa dame de
80 compagnie, monta dans les combles[1] du palais, et à force de chercher parvint à trouver une petite fenêtre grillée[2] qui donnait sur la terrasse garnie d'orangers. La fenêtre ouverte qu'elle avait remarquée était à deux pas d'elle. Sans doute cette chambre était habitée ; mais par qui ? Le lendemain
85 Vanina parvint à se procurer la clef d'une petite porte qui ouvrait sur la terrasse garnie d'orangers.

Elle s'approcha à pas de loup de la fenêtre qui était encore ouverte. Une persienne[3] servit à la cacher. Au fond de la chambre il y avait un lit et quelqu'un dans ce lit. Son
90 premier mouvement fut de se retirer ; mais elle aperçut une robe de femme jetée sur une chaise. En regardant mieux la personne qui était au lit, elle vit qu'elle était blonde, et apparemment fort jeune. Elle ne douta plus que ce ne fût une femme. La robe jetée sur une chaise était ensanglantée ;
95 il y avait aussi du sang sur des souliers de femme placés sur une table. L'inconnue fit un mouvement ; Vanina s'aperçut qu'elle était blessée. Un grand linge taché de sang couvrait sa poitrine ; ce linge n'était fixé que par des rubans ; ce n'était pas la main d'un chirurgien qui l'avait placé ainsi.
100 Vanina remarqua que chaque jour, vers les quatre heures, son père s'enfermait dans son appartement, et ensuite allait vers l'inconnue ; il redescendait bientôt, et montait en voiture pour aller chez la comtesse Vitteleschi. Dès qu'il était sorti, Vanina montait à la petite terrasse, d'où elle
105 pouvait apercevoir l'inconnue. Sa sensibilité était vivement excitée en faveur de cette jeune femme si malheureuse ; elle cherchait à deviner son aventure. La robe ensanglantée

notes

1. combles : partie du palais située sous les toits.

2. grillée : grillagée.

3. persienne : sorte de volet ajouré.

***Portrait d'une femme à sa toilette*, peinture à l'huile de Tiziano Vecellio, dit Titien, vers 1512.**

jetée sur une chaise paraissait avoir été percée de coups de poignard. Vanina pouvait compter les déchirures. Un jour
110 elle vit l'inconnue plus distinctement : ses yeux bleus étaient fixés dans le ciel ; elle semblait prier. Bientôt des larmes remplirent ses beaux yeux ; la jeune princesse eut bien de la peine à ne pas lui parler. Le lendemain Vanina osa se cacher sur la petite terrasse avant l'arrivée de son
115 père. Elle vit don Asdrubale entrer chez l'inconnue ; il portait un petit panier où étaient des provisions. Le prince avait l'air inquiet, et ne dit pas grand-chose. Il parlait si bas que, quoique la porte-fenêtre fût ouverte, Vanina ne put entendre ses paroles. Il partit aussitôt.

120 « Il faut que cette pauvre femme ait des ennemis bien terribles, se dit Vanina, pour que mon père, d'un caractère si insouciant, n'ose se confier à personne et se donne la peine de monter cent vingt marches chaque jour. »

Un soir, comme Vanina avançait doucement la tête vers
125 la croisée[1] de l'inconnue, elle rencontra ses yeux, et tout fut découvert. Vanina se jeta à genoux, et s'écria :

– Je vous aime, je vous suis dévouée.

L'inconnue lui fit signe d'entrer.

– Que je vous dois d'excuses, s'écria Vanina, et que ma
130 sotte curiosité doit vous sembler offensante[2] ! Je vous jure le secret, et, si vous l'exigez, jamais je ne reviendrai.

– Qui pourrait ne pas trouver du bonheur à vous voir ? dit l'inconnue. Habitez-vous ce palais ?

– Sans doute, répondit Vanina. Mais je vois que vous ne
135 me connaissez pas : je suis Vanina, fille de don Asdrubale.

notes

1. ***croisée :*** sorte de fenêtre.

2. ***offensante :*** blessante, portant atteinte à l'honneur.

L'inconnue la regarda d'un air étonné, rougit beaucoup, puis ajouta :

– Daignez me faire espérer que vous viendrez me voir tous les jours ; mais je désirerais que le prince ne sût pas 140 vos visites.

Le cœur de Vanina battait avec force ; les manières de l'inconnue lui semblaient remplies de distinction. Cette pauvre jeune femme avait sans doute offensé quelque homme puissant ; peut-être dans un moment de jalousie 145 avait-elle tué son amant ? Vanina ne pouvait voir une cause vulgaire[1] à son malheur. L'inconnue lui dit qu'elle avait reçu une blessure dans l'épaule, qui avait pénétré jusqu'à la poitrine et la faisait beaucoup souffrir. Souvent elle se trouvait la bouche pleine de sang.

150 – Et vous n'avez pas de chirurgien ! s'écria Vanina.

– Vous savez qu'à Rome, dit l'inconnue, les chirurgiens doivent à la police un rapport exact de toutes les blessures qu'ils soignent. Le prince daigne lui-même serrer[2] mes blessures avec le linge que vous voyez.

155 L'inconnue évitait avec une grâce parfaite de s'apitoyer sur son accident ; Vanina l'aimait à la folie. Une chose pourtant étonna beaucoup la jeune princesse, c'est qu'au milieu d'une conversation assurément fort sérieuse l'inconnue eut beaucoup de peine à supprimer une envie subite de rire.

160 – Je serai heureuse, lui dit Vanina, de savoir votre nom.

– On m'appelle Clémentine.

– Eh bien ! chère Clémentine, demain à cinq heures je viendrai vous voir.

Le lendemain Vanina trouva sa nouvelle amie fort mal.

notes

1. *vulgaire* : commune, ordinaire.

2. *serrer* : fermer la plaie en serrant le pansement.

165 – Je veux vous amener un chirurgien, dit Vanina en l'embrassant.

– J'aimerais mieux mourir, dit l'inconnue. Voudrais-je compromettre mes bienfaiteurs ?

– Le chirurgien de Mgr Savelli-Catanzara, le gouver-
170 neur de Rome, est fils d'un de nos domestiques, reprit vivement Vanina ; il nous est dévoué, et par sa position ne craint personne. Mon père ne rend pas justice à sa fidélité ; je vais le faire demander.

– Je ne veux pas de chirurgien, s'écria l'inconnue avec
175 une vivacité qui surprit Vanina. Venez me voir, et si Dieu doit m'appeler à lui, je mourrai heureuse dans vos bras.

Le lendemain, l'inconnue était plus mal.

– Si vous m'aimez, dit Vanina en la quittant, vous verrez un chirurgien.

180 – S'il vient, mon bonheur s'évanouit.

– Je vais l'envoyer chercher, reprit Vanina.

Sans rien dire, l'inconnue la retint, et prit sa main qu'elle couvrit de baisers. Il y eut un long silence, l'inconnue avait les larmes aux yeux. Enfin, elle quitta la main de
185 Vanina, et de l'air dont elle serait allée à la mort, lui dit :

– J'ai un aveu à vous faire. Avant-hier, j'ai menti en disant que je m'appelais Clémentine ; je suis un malheureux carbonaro[1]...

Vanina étonnée recula sa chaise et bientôt se leva.

190 – Je sens, continua le carbonaro, que cet aveu va me faire perdre le seul bien qui m'attache à la vie ; mais il est indigne de moi de vous tromper. Je m'appelle Pietro

notes

1. carbonaro : membre d'une société secrète italienne qui combattait pour la liberté. Le pluriel de *carbonaro* est *carbonari*. Ce mot signifie à l'origine « charbonnier » car les conspirateurs se réunissaient au départ dans des huttes de charbonniers.

La révolution de 1848 en Italie, gravure du XIXe siècle.

Missirilli ; j'ai dix-neuf ans ; mon père est un pauvre chirurgien de Saint-Angelo-in-Vado, moi je suis carbonaro. On a surpris notre *vente* ; j'ai été amené, enchaîné, de la Romagne[1] à Rome. Plongé dans un cachot éclairé jour et nuit par une lampe, j'y ai passé treize mois. Une âme charitable a eu l'idée de me faire sauver. On m'a habillé en femme. Comme je sortais de prison et passais devant les gardes de la dernière porte, l'un d'eux a maudit les carbonari ; je lui ai donné un soufflet[2]. Je vous assure que

notes

1. Romagne : province italienne dont la capitale est Ravenne.

2. soufflet : gifle.

ce ne fut pas une vaine bravade[1], mais tout simplement une distraction. Poursuivi la nuit dans les rues de Rome après cette imprudence, blessé de coups de baïonnette[2], perdant déjà mes forces, je monte dans une maison dont la porte était ouverte ; j'entends les soldats qui montent après moi, je saute dans un jardin ; je tombe à quelques pas d'une femme qui se promenait.

– La comtesse Vitteleschi ! l'amie de mon père, dit Vanina.

– Quoi ! vous l'a-t-elle dit ? s'écria Missirilli. Quoi qu'il en soit, cette dame, dont le nom ne doit jamais être prononcé, me sauva la vie. Comme les soldats entraient chez elle pour me saisir, votre père m'en faisait sortir dans sa voiture. Je me sens fort mal : depuis quelques jours ce coup de baïonnette dans l'épaule m'empêche de respirer. Je vais mourir, et désespéré, puisque je ne vous verrai plus.

Vanina avait écouté avec impatience ; elle sortit rapidement : Missirilli ne trouva nulle pitié dans ces yeux si beaux, mais seulement l'expression d'un caractère altier[3] que l'on vient de blesser.

À la nuit, un chirurgien parut ; il était seul, Missirilli fut au désespoir ; il craignait de ne revoir jamais Vanina. Il fit des questions au chirurgien, qui le saigna[4] et ne lui répondit pas. Même silence les jours suivants. Les yeux de Pietro ne quittaient pas la fenêtre de la terrasse par laquelle Vanina avait coutume d'entrer ; il était fort malheureux. Une fois, vers minuit, il crut apercevoir quelqu'un dans l'ombre sur la terrasse : était-ce Vanina ?

notes

1. bravade : provocation.

2. baïonnette : lame qui se fixe à la pointe d'un fusil.

3. altier : aristocratique et orgueilleux.

4. saigna : fit saigner (ancienne pratique des médecins pour soulager les malades).

***L'Homme au gant*, peinture à l'huile de Tiziano Vecellio, dit Titien, vers 1523.**

Vanina venait toutes les nuits coller sa joue contre les
230 vitres de la fenêtre du jeune carbonaro.

« Si je lui parle, se disait-elle, je suis perdue ! Non, jamais je ne dois le revoir ! »

Cette résolution arrêtée, elle se rappelait, malgré elle, l'amitié qu'elle avait prise pour ce jeune homme, quand si
235 sottement elle le croyait une femme. Après une intimité si douce, il fallait donc l'oublier ! Dans ses moments les plus raisonnables, Vanina était effrayée du changement qui avait lieu dans ses idées. Depuis que Missirilli s'était nommé, toutes les choses auxquelles elle avait l'habitude de penser
240 s'étaient comme recouvertes d'un voile, et ne paraissaient plus que dans l'éloignement.

Une semaine ne s'était pas écoulée, que Vanina, pâle et tremblante, entra dans la chambre du jeune carbonaro avec le chirurgien. Elle venait de lui dire qu'il fallait engager le
245 prince à se faire remplacer par un domestique. Elle ne resta pas dix secondes ; mais quelques jours après elle revint encore avec le chirurgien, par humanité. Un soir, quoique Missirilli fût bien mieux, et que Vanina n'eût plus le prétexte de craindre pour sa vie, elle osa venir seule. En la
250 voyant, Missirilli fut au comble du bonheur, mais il songea à cacher son amour ; avant tout, il ne voulait pas s'écarter de la dignité convenable à un homme. Vanina, qui était entrée chez lui le front couvert de rougeur, et craignant des propos d'amour, fut déconcertée de l'amitié noble et
255 dévouée, mais fort peu tendre, avec laquelle il la reçut. Elle partit sans qu'il essayât de la retenir.

Quelques jours après, lorsqu'elle revint, même conduite, mêmes assurances[1] de dévouement respectueux et de recon-

note

1. assurances : promesses.

naissance éternelle. Bien loin d'être occupée à mettre un
260 frein aux transports[1] du jeune carbonaro, Vanina se demanda si elle aimait seule[2]. Cette jeune fille, jusque-là si fière, sentit amèrement toute l'étendue de sa folie. Elle affecta[3] de la gaieté et même de la froideur, vint moins souvent, mais ne put prendre sur elle de cesser de voir le jeune malade.

265 Missirilli, brûlant d'amour, mais songeant à sa naissance obscure et à ce qu'il se devait, s'était promis de ne descendre à parler d'amour que si Vanina restait huit jours sans le voir. L'orgueil de la jeune princesse combattit pied à pied[4]. « Eh bien ! se dit-elle enfin, si je le vois, c'est pour moi, c'est
270 pour me faire plaisir, et jamais je ne lui avouerai l'intérêt qu'il m'inspire. » Elle faisait de longues visites à Missirilli, qui lui parlait comme il eût pu faire si vingt personnes eussent été présentes. Un soir, après avoir passé la journée à le détester et à se bien promettre d'être avec lui encore
275 plus froide[5] et plus sévère qu'à l'ordinaire, elle lui dit qu'elle l'aimait. Bientôt elle n'eut plus rien à lui refuser.

notes

1. transports : élans, manifestations d'une vive émotion.

2. aimait seule : était la seule des deux à aimer.

3. affecta : fit semblant d'éprouver.

4. combattit pied à pied : mena une lutte serrée (contre l'amour naissant).

5. froide : distante.

Au fil du texte

Questions sur l'extrait des pages 15 à 25

Avez-vous bien lu ?

1. Quelles sont les propositions exactes ? Cochez la bonne case.

	VRAI	FAUX
a) La fenêtre du carbonaro donne sur une terrasse garnie de rosiers.	☐	☐
b) Le surlendemain du bal, Vanina se procure la clef de la terrasse.	☐	☐
c) Vanina, lasse de se cacher, se décide à aller parler à l'inconnue.	☐	☐
d) Le prince soigne le blessé lui-même car il est chirurgien.	☐	☐
e) Deux jours après avoir dit s'appeler Clémentine, le carbonaro avoue sa véritable identité.	☐	☐
f) Le carbonaro a été emprisonné treize mois avant de parvenir à s'échapper.	☐	☐
g) Le carbonaro a été sauvé par la princesse Vitteleschi.	☐	☐
h) Vanina a avoué à son père qu'elle a fait la connaissance du carbonaro.	☐	☐
i) Vanina finit par devenir la maîtresse du carbonaro.	☐	☐

ÉTUDIER LE TRAITEMENT DU TEMPS

2. Relevez les indices temporels qui indiquent la chronologie des événements. Que remarquez-vous ?

3. Quels indices temporels indiquent une ellipse* ?

4. Quel passage constitue une analepse* ?

5. Comment cette analepse s'insère-t-elle dans le récit principal ?

ÉTUDIER LE VOCABULAIRE ET LA GRAMMAIRE (L. 190 À 208)

6. Relevez les différentes marques de la première personne et donnez leur classe grammaticale.

7. Quelle différence faites-vous entre le *« je »* de *« je sens »* (l. 190) et celui de *« je sortais »* (l. 199) ?

8. Relevez les verbes au présent et classez-les selon leur valeur.

9. Quels verbes sont à la voix passive ? Commentez l'emploi de cette tournure.

10. Qui est désigné par les deux pronoms *« on »* (l. 195 et 198) ?

11. Donnez la nature des différentes propositions de la dernière phrase.

12. Quel est l'effet produit par l'absence de coordination dans la dernière phrase ?

ellipse : **saut dans le temps qui permet d'éviter de raconter des événements sans intérêt pour l'histoire.**

analepse : **retour en arrière dans un récit.**

ÉTUDIER LA COMPLEXITÉ DU SENTIMENT AMOUREUX

13. Quels sentiments contradictoires déchirent Vanina (l. 229 à 276) ? Relevez les expressions qui se rapportent à chacun de ces sentiments.

14. En quoi consiste l'attitude de Pietro Missirilli après l'aveu de sa véritable identité ?

15. Quel est l'effet produit sur Vanina Vanini par cette attitude ?

16. Relevez dans le passage trois expressions qui montrent que Vanina ne peut résister à sa passion pour Pietro.

17. Après avoir rappelé la définition du tragique, appuyez-vous sur les réponses aux questions précédentes pour montrer en quoi Vanina est une héroïne tragique.

***monologue intérieur délibératif* : réflexion silencieuse d'un personnage durant laquelle il se montre partagé entre des positions différentes.**

LIRE L'IMAGE

18. À quelle époque Titien a-t-il vécu ?

19. Quels éléments, dans le tableau de la page 17, expriment la douceur sensuelle de la jeune fille ?

20. Dans quelle mesure peut-on penser que Pietro pourrait ressembler à *L'Homme au gant* (page 23) ?

À VOS PLUMES !

21. Après avoir avoué sa véritable identité, Pietro craint *« de ne revoir jamais Vanina »* (l. 222). Imaginez son monologue intérieur suite à cette révélation.

22. Vanina est déchirée entre deux sentiments contradictoires (voir question 13). Rédigez un monologue intérieur délibératif* dans lequel elle se demande quelle conduite adopter.

23. Composez un récit au passé mettant en scène un personnage de votre choix déchiré entre deux exigences contradictoires.

Si sa folie fut grande, il faut avouer que Vanina fut parfaitement heureuse. Missirilli ne songea plus à ce qu'il croyait devoir à sa dignité d'homme ; il aima comme on 280 aime pour la première fois à dix-neuf ans et en Italie. Il eut tous les scrupules[1] de l'amour-passion, jusqu'au point d'avouer à cette jeune princesse si fière la politique dont il avait fait usage pour s'en faire aimer. Il était étonné de l'excès de son bonheur.

285 Quatre mois passèrent bien vite. Un jour, le chirurgien rendit la liberté à son malade. « Que vais-je faire ? pensa Missirilli ; rester caché chez une des plus belles personnes de Rome ? Et les vils[2] tyrans qui m'ont tenu treize mois en prison sans me laisser voir la lumière du jour croiront 290 m'avoir découragé ! Italie, tu es vraiment malheureuse, si tes enfants t'abandonnent pour si peu ! »

Vanina ne doutait pas que le plus grand bonheur de Pietro ne fût de lui rester à jamais attaché ; il semblait trop heureux ; mais un mot du général Bonaparte retentissait 295 amèrement dans l'âme de ce jeune homme et influençait toute sa conduite à l'égard des femmes. En 1796, comme le général Bonaparte quittait Brescia[3], les municipaux[4] qui l'accompagnaient à la porte de la ville lui disaient que les Bressans[5] aimaient la liberté par-dessus tous les autres 300 Italiens.

– Oui, répondit-il, ils aiment à en parler à leurs maîtresses.

Missirilli dit à Vanina d'un air assez contraint :

notes

1. *scrupules* : hésitations dues à une grande délicatesse.

2. *vils* : méprisables.

3. *Brescia* : ville de Lombardie prise par Napoléon Ier durant les campagnes d'Italie (1796-1797).

4. *municipaux* : représentants de la ville.

5. *Bressans* : habitants de Brescia.

– Dès que la nuit sera venue, il faut que je sorte.

– Aie bien soin de rentrer au palais avant le point du
305 jour ; je t'attendrai.

– Au point du jour je serai à plusieurs milles[1] de Rome.

– Fort bien, dit Vanina froidement, et où irez-vous ?

– En Romagne, me venger.

– Comme je suis riche, reprit Vanina de l'air le plus
310 tranquille, j'espère que vous accepterez de moi des armes et de l'argent.

Missirilli la regarda quelques instants sans sourciller[2] ; puis, se jetant dans ses bras :

– Âme de ma vie, tu me fais tout oublier, lui dit-il, et
315 même mon devoir. Mais plus ton cœur est noble, plus tu dois me comprendre.

Vanina pleura beaucoup, et il fut convenu qu'il ne quitterait Rome que le surlendemain.

– Pietro, lui dit-elle le lendemain, souvent vous m'avez
320 dit qu'un homme connu, qu'un prince romain, par exemple, qui pourrait disposer de beaucoup d'argent, serait en état de rendre les plus grands services à la cause de la liberté, si jamais l'Autriche est engagée loin de nous, dans quelque grande guerre.

325 – Sans doute, dit Pietro étonné.

– Eh bien ! vous avez du cœur ; il ne vous manque qu'une haute position ; je viens vous offrir ma main et deux cent mille livres de rentes. Je me charge d'obtenir le consentement de mon père.

330 Pietro se jeta à ses pieds ; Vanina était rayonnante de joie.

notes

1. *milles* : un mille romain vaut environ 1 479 mètres (mille pas).

2. *sourciller* : manifester une quelconque réaction en bougeant les sourcils.

La Proclamation du Consulat, gravure par Monnet et David. Napoléon est nommé consul à vie en 1802, puis empereur en 1804.

– Je vous aime avec passion, lui dit-il ; mais je suis un pauvre serviteur de la patrie ; mais plus l'Italie est malheureuse, plus je dois lui rester fidèle. Pour obtenir le consentement de don Asdrubale, il faudra jouer un triste
335 rôle pendant plusieurs années. Vanina, je te refuse.

Missirilli se hâta de s'engager par ce mot. Le courage allait lui manquer.

– Mon malheur, s'écria-t-il, c'est que je t'aime plus que la vie, c'est que quitter Rome est pour moi le pire des
340 supplices. Ah ! que l'Italie n'est-elle délivrée des barbares ! Avec quel plaisir je m'embarquerais avec toi pour aller vivre en Amérique.

Vanina restait glacée. Ce refus de sa main avait étonné son orgueil ; mais bientôt elle se jeta dans les bras de
345 Missirilli.

– Jamais tu ne m'as semblé aussi aimable, s'écria-t-elle ; oui, mon petit chirurgien de campagne[1], je suis à toi pour toujours. Tu es un grand homme comme nos anciens Romains.

350 Toutes les idées d'avenir, toutes les tristes suggestions du bon sens disparurent ; ce fut un instant d'amour parfait. Lorsque l'on put parler raison :

– Je serai en Romagne presque aussitôt que toi, dit Vanina. Je vais me faire ordonner les bains de la *Poretta*[2]. Je
355 m'arrêterai au château que nous avons à San Nicolò près de Forli[3]...

– Là, je passerai ma vie avec toi ! s'écria Missirilli.

notes

1. petit chirurgien de campagne : allusion à la profession du père de Pietro.

2. Poretta : station thermale italienne.

3. Forli : ville du nord-est de l'Italie, en Émilie-Romagne.

***Roméo et Juliette*, lithographie d'Achille Devéria (1800-1857).**

– Mon lot désormais est de tout oser, reprit Vanina avec un soupir. Je me perdrai pour toi, mais n'importe… Pourras-tu aimer une fille déshonorée ?

– N'es-tu pas ma femme, dit Missirilli, et une femme à jamais adorée ? Je saurai t'aimer et te protéger.

Il fallait que Vanina allât dans le monde. À peine eut-elle quitté Missirilli, qu'il commença à trouver sa conduite barbare.

« Qu'est-ce que la *patrie* ? se dit-il. Ce n'est pas un être à qui nous devions de la reconnaissance pour un bienfait, et qui soit malheureux et puisse nous maudire si nous y manquons. La *patrie* et la *liberté*, c'est comme mon manteau, c'est une chose qui m'est utile, que je dois acheter, il est vrai, quand je ne l'ai pas reçue en héritage de mon père ; mais enfin j'aime la patrie et la liberté, parce que ces deux choses me sont utiles. Si je n'en ai que faire, si elles sont pour moi comme un manteau au mois d'août, à quoi bon les acheter, et à un prix énorme ? Vanina est si belle ! elle a un génie si singulier[1] ! On cherchera à lui plaire ; elle m'oubliera. Quelle est la femme qui n'a jamais eu qu'un amant ? Ces princes romains, que je méprise comme citoyens, ont tant d'avantages sur moi ! Ils doivent être bien aimables ! Ah, si je pars, elle m'oublie, et je la perds pour jamais. »

Au milieu de la nuit, Vanina vint le voir ; il lui dit l'incertitude où il venait d'être plongé, et la discussion à laquelle, parce qu'il l'aimait, il avait livré ce grand mot de *patrie*. Vanina était bien heureuse.

note

1. singulier : original, unique.

« S'il devait choisir absolument entre la patrie et moi, se disait-elle, j'aurais la préférence. »

L'horloge de l'église voisine sonna trois heures ; le moment des derniers adieux arrivait. Pietro s'arracha des bras de son amie. Il descendait déjà le petit escalier, lorsque Vanina, retenant ses larmes, lui dit en souriant :

– Si tu avais été soigné par une pauvre femme de la campagne, ne ferais-tu rien pour la reconnaissance[1] ? Ne chercherais-tu pas à la payer ? L'avenir est incertain, tu vas voyager au milieu de tes ennemis : donne-moi trois jours par reconnaissance, comme si j'étais une pauvre femme, et pour me payer de mes soins.

Missirilli resta. Enfin il quitta Rome. Grâce à un passeport acheté d'une ambassade étrangère, il arriva dans sa famille. Ce fut une grande joie ; on le croyait mort. Ses amis voulurent célébrer sa bienvenue en tuant un carabinier ou deux (c'est le nom que portent les gendarmes dans les États du pape).

– Ne tuons pas sans nécessité un Italien qui sait le maniement des armes, dit Missirilli ; notre patrie n'est pas une île comme l'heureuse Angleterre : c'est de soldats que nous manquons pour résister à l'intervention des rois de l'Europe[2].

Quelque temps après, Missirilli, serré de près par les carabiniers, en tua deux avec les pistolets que Vanina lui avait donnés. On mit sa tête à prix.

Vanina ne paraissait pas en Romagne : Missirilli se crut oublié. Sa vanité fut choquée ; il commençait à songer

notes

1. pour la reconnaissance : par reconnaissance.

2. intervention des rois de l'Europe : il s'agit des rois européens qui interviennent, empêchant l'unité italienne jusqu'en 1870 (date de l'unification).

beaucoup à la différence de rang[1] qui le séparait de sa
415 maîtresse. Dans un moment d'attendrissement et de regret du bonheur passé, il eut l'idée de retourner à Rome voir ce que faisait Vanina. Cette folle pensée allait l'emporter sur ce qu'il croyait être son devoir, lorsqu'un soir la cloche d'une église de la montagne sonna *l'Angelus*[2] d'une façon singu-
420 lière, et comme si le sonneur avait une distraction. C'était un signal de réunion pour la *vente* de carbonari à laquelle Missirilli s'était affilié en arrivant en Romagne. La même nuit, tous se trouvèrent à un certain ermitage[3] dans les bois. Les deux ermites[4], assoupis par l'opium, ne s'aperçurent
425 nullement de l'usage auquel servait leur petite maison. Missirilli qui arrivait fort triste, apprit là que le chef de la *vente* avait été arrêté, et que lui, jeune homme à peine âgé de vingt ans, allait être élu chef d'une *vente* qui comptait des hommes de plus de cinquante ans, et qui étaient dans
430 les conspirations[5] depuis l'expédition de Murat en 1815[6]. En recevant cet honneur inespéré, Pietro sentit battre son cœur. Dès qu'il fut seul, il résolut de ne plus songer à la jeune Romaine qui l'avait oublié, et de consacrer toutes ses pensées au devoir de *délivrer l'Italie des barbares*[7].

notes

1. rang : position sociale.

2. Angelus : sonnerie de cloches qui indique, le matin, à midi et le soir, un moment de prière.

3. ermitage : maison isolée.

4. ermites : personnes ayant choisi de vivre à l'écart des hommes ; habitants de l'ermitage.

5. conspirations : complots politiques.

6. expédition de Murat en 1815 : abandonnant Napoléon Ier, Murat, le roi de Naples, tenta de reconquérir son royaume en 1815 et fut fusillé.

7. délivrer l'Italie des barbares : *Liberar l'Italia de' barbari* : c'est le mot de Pétrarque* en 1350, répété par Jules II**, par Machiavel***, par le comte Alfieri**** (note de Stendhal).
* Pétrarque : poète italien du XIVe siècle considéré comme le premier écrivain de la Renaissance.
** Jules II : pape (1503-1513) qui restaura la puissance politique des papes en Italie.
*** Machiavel : homme politique et écrivain italien (1469-1527) notamment célèbre pour sa réflexion politique (*Le Prince*, 1513).
**** Vittorio Alfieri : poète italien (1749-1803), auteur de tragédies classiques.

435 Deux jours après, Missirilli vit dans le rapport des arrivées et des départs qu'on lui adressait, comme chef de *vente*, que la princesse Vanina venait d'arriver à son château de San Nicolò. La lecture de ce nom jeta plus de trouble que de plaisir dans son âme. Ce fut en vain qu'il crut 440 assurer sa fidélité à la patrie en prenant sur lui de ne pas voler le soir même au château de San Nicolò ; l'idée de Vanina, qu'il négligeait, l'empêcha de remplir ses devoirs d'une façon raisonnable. Il la vit le lendemain ; elle l'aimait comme à Rome. Son père, qui voulait la marier, avait 445 retardé son départ. Elle apportait deux mille sequins[1]. Ce secours imprévu servit merveilleusement à accréditer[2] Missirilli dans sa nouvelle dignité. On fit fabriquer des poignards à Corfou[3] ; on gagna[4] le secrétaire intime du légat[5], chargé de poursuivre les carbonari. On obtint ainsi la liste 450 des curés qui servaient d'espions au gouvernement.

C'est à cette époque que finit de s'organiser l'une des moins folles conspirations qui aient été tentées dans la malheureuse Italie. Je n'entrerai point ici dans des détails déplacés. Je me contenterai de dire que si le succès eût 455 couronné l'entreprise, Missirilli eût pu réclamer une bonne part de la gloire. Par lui, plusieurs milliers d'insurgés se seraient levés à un signal donné, et auraient attendu en armes l'arrivée des chefs supérieurs. Le moment décisif approchait, lorsque, comme cela arrive toujours, la conspi- 460 ration fut paralysée par l'arrestation des chefs.

notes

1. sequins : ancienne monnaie d'or.

2. accréditer : faire en sorte que l'on fasse confiance à quelqu'un.

3. Corfou : au nord-ouest de la Grèce, île réputée pour ses poignards.

4. gagna : obtint le silence ou l'adhésion de quelqu'un.

5. légat : représentant du pape.

Carte de l'Italie antique.

Carte de l'Italie contemporaine.

À peine arrivée en Romagne, Vanina crut voir que l'amour de la patrie ferait oublier à son amant tout autre amour. La fierté de la jeune Romaine s'irrita. Elle essaya en vain de se raisonner ; un noir chagrin s'empara d'elle : elle
465 se surprit à maudire la liberté. Un jour qu'elle était venue à Forli pour voir Missirilli, elle ne fut pas maîtresse de sa douleur, que toujours jusque-là son orgueil avait su maîtriser.

– En vérité, lui dit-elle, vous m'aimez comme un mari ; ce n'est pas mon compte.

470 Bientôt ses larmes coulèrent ; mais c'était de honte de s'être abaissée jusqu'aux reproches. Missirilli répondit à ces larmes en homme préoccupé. Tout à coup Vanina eut l'idée de le quitter et de retourner à Rome. Elle trouva une joie cruelle à se punir de la faiblesse qui venait de la faire
475 parler. Au bout de peu d'instants de silence, son parti fut pris ; elle se fût trouvée indigne de Missirilli si elle ne l'eût pas quitté. Elle jouissait de sa surprise douloureuse quand il la chercherait en vain auprès de lui. Bientôt l'idée de n'avoir pu obtenir l'amour de l'homme pour qui elle avait fait tant
480 de folies l'attendrit profondément. Alors elle rompit le silence, et fit tout au monde pour lui arracher une parole d'amour. Il lui dit d'un air distrait des choses fort tendres ; mais ce fut avec un accent bien autrement profond qu'en parlant de ses entreprises politiques, il s'écria avec douleur :

485 *– Ah ! si cette affaire-ci ne réussit pas, si le gouvernement la découvre encore, je quitte la partie.*

Vanina resta immobile. Depuis une heure, elle sentait qu'elle voyait son amant pour la dernière fois. Le mot qu'il prononçait jeta une lumière fatale[1] dans son esprit. Elle se dit :

note

1. fatale : qui annonce un dénouement tragique.

490 « Les carbonari ont reçu de moi plusieurs milliers de sequins. On ne peut douter de mon dévouement à la conspiration. »

Vanina ne sortit de sa rêverie que pour dire à Pietro :

–Voulez-vous venir passer vingt-quatre heures avec moi 495 au château de San Nicolò ? Votre assemblée de ce soir n'a pas besoin de ta présence. Demain matin, à San Nicolò, nous pourrons nous promener ; cela calmera ton agitation et te rendra tout le sang-froid dont tu as besoin dans ces grandes circonstances.

500 Pietro y consentit.

Vanina le quitta pour les préparatifs du voyage, en fermant à clef, comme de coutume la petite chambre où elle l'avait caché.

Elle courut chez une de ses femmes de chambre 505 qui l'avait quittée pour se marier et prendre un petit commerce à Forli. Arrivée chez cette femme, elle écrivit à la hâte à la marge[1] d'un livre d'Heures[2] qu'elle trouva dans sa chambre, l'indication exacte du lieu où la *vente* des carbonari devait se réunir cette nuit-là même. Elle termina 510 sa dénonciation par ces mots : « Cette *vente* est composée de dix-neuf membres ; voici leurs noms et leurs adresses. » Après avoir écrit cette liste, très exacte à cela près que le nom de Missirilli était omis, elle dit à la femme, dont elle était sûre :

515 – Porte ce livre au cardinal-légat ; qu'il lise ce qui est écrit, et qu'il te rende le livre. Voici dix sequins ; si jamais le légat prononce ton nom, la mort est certaine ; mais tu me sauves la vie si tu fais lire au légat la page que je viens d'écrire.

notes

1. à la marge : dans les marges.

2. livre d'Heures : livre de prières.

Tout se passa à merveille. La peur du légat fit qu'il ne se conduisit point en grand seigneur. Il permit à la femme du peuple qui demandait à lui parler de ne paraître devant lui que masquée, mais à condition qu'elle aurait les mains liées. En cet état, la marchande fut introduite devant le grand personnage, qu'elle trouva retranché[1] derrière une immense table, couverte d'un tapis vert.

Le légat lut la page du livre d'Heures, en le tenant fort loin de lui, de peur d'un poison subtil[2]. Il le rendit à la marchande, et ne la fit point suivre. Moins de quarante minutes après avoir quitté son amant, Vanina, qui avait vu revenir son ancienne femme de chambre, reparut devant Missirilli, croyant que désormais il était tout à elle. Elle lui dit qu'il y avait un mouvement extraordinaire dans la ville ; on remarquait des patrouilles de carabiniers dans des rues où ils ne venaient jamais.

– Si tu veux m'en croire, ajouta-t-elle, nous partirons à l'instant même pour San Nicolò.

Missirilli y consentit. Ils gagnèrent à pied la voiture de la jeune princesse, qui, avec sa dame de compagnie, confidente discrète et bien payée, l'attendait à une demi-lieue[3] de la ville.

Arrivée au château de San Nicolò, Vanina, troublée par son étrange démarche, redoubla de tendresse pour son amant. Mais en lui parlant d'amour, il lui semblait qu'elle jouait la comédie. La veille, en trahissant, elle avait oublié le remords. En serrant son amant dans ses bras, elle se disait :

« Il y a un certain mot qu'on peut lui dire, et ce mot prononcé, à l'instant et pour toujours, il me prend en horreur. »

notes

1. ***retranché :*** en retrait.

2. ***subtil :*** presque imperceptible.

3. ***demi-lieue :*** une lieue vaut 4 445 mètres.

Au milieu de la nuit, un des domestiques de Vanina
550 entra brusquement dans sa chambre. Cet homme était carbonaro sans qu'elle s'en doutât. Missirilli avait donc des secrets pour elle, même pour ces détails. Elle frémit. Cet homme venait avertir Missirilli que dans la nuit, à Forli, les maisons de dix-neuf carbonari avaient été cernées, et eux
555 arrêtés au moment où ils revenaient de la *vente*. Quoique pris à l'improviste, neuf s'étaient échappés. Les carabiniers avaient pu en conduire dix dans la prison de la citadelle. En y entrant, l'un d'eux s'était jeté dans le puits, si profond, et s'était tué. Vanina perdit contenance ; heureusement Pietro
560 ne le remarqua pas : il eût pu lire son crime dans ses yeux.

Dans ce moment, ajouta le domestique, la garnison[1] de Forli forme une file dans toutes les rues. Chaque soldat est assez rapproché de son voisin pour lui parler. Les habitants ne peuvent traverser d'un côté de la rue à l'autre, que là où
565 un officier est placé.

Après la sortie de cet homme, Pietro ne fut pensif qu'un instant :

– Il n'y a rien à faire pour le moment, dit-il enfin.

Vanina était mourante ; elle tremblait sous les regards de
570 son amant.

– Qu'avez-vous donc d'extraordinaire ? lui dit-il.

Puis il pensa à autre chose, et cessa de la regarder.

Vers le milieu de la journée, elle se hasarda à lui dire :

– Voilà encore une *vente* de découverte ; je pense que
575 vous allez être tranquille pour quelque temps.

note

1. garnison : partie d'une armée basée dans une ville.

– *Très tranquille*, répondit Missirilli avec un sourire qui la fit frémir.

Elle alla faire une visite indispensable au curé du village de San Nicolò, peut-être espion des jésuites[1]. En rentrant
580 pour dîner à sept heures, elle trouva déserte la petite chambre où son amant était caché. Hors d'elle-même, elle courut le chercher dans toute la maison ; il n'y était point. Désespérée, elle revint dans cette petite chambre, ce fut alors seulement qu'elle vit un billet ; elle lut :

585 *« Je vais me rendre prisonnier au légat : je désespère de notre cause ; le ciel est contre nous. Qui nous a trahis ? apparemment le misérable qui s'est jeté dans le puits. Puisque ma vie est inutile à la pauvre Italie, je ne veux pas que mes camarades, en voyant que, seul, je ne suis pas arrêté, puissent se figurer que je les ai vendus.*
590 *Adieu ; si vous m'aimez, songez à me venger. Perdez, anéantissez l'infâme qui nous a trahis, fût-ce mon père. »*

Vanina tomba sur une chaise, à demi évanouie et plongée dans le malheur le plus atroce. Elle ne pouvait proférer[2] aucune parole ; ses yeux étaient secs et brûlants.
595 Enfin elle se précipita à genoux :

– Grand Dieu ! s'écria-t-elle, recevez mon vœu ; oui, je punirai l'infâme qui a trahi ; mais auparavant il faut rendre la liberté à Pietro.

notes

1. espion des jésuites : l'ordre religieux des jésuites soutient le pape.

2. proférer : prononcer.

Au fil du texte

Questions sur l'extrait des pages 29 à 44

Avez-vous bien lu ?

1. Complétez les phrases suivantes.

a) Après sa guérison, Missirilli est hanté par un mot de .... qui le rappelle à son devoir de carbonaro.

b) Pietro veut quitter Rome pour gagner la ....

c) Vanina se promet d'obtenir l'autorisation de .... pour son mariage avec Missirilli.

d) Vanina promet de retrouver Pietro au château de ....

e) À Rome, Vanina pense que si Pietro devait choisir entre elle et sa patrie, ... aurait sa préférence.

f) En Romagne, les carbonari se réunissent dans un .... au milieu des bois.

g) Missirilli est élu chef d'une ....

h) Alors que la conspiration se prépare, Vanina propose à Missirilli de passer .... au château de San Nicolò.

i) En utilisant les services d'une de ses anciennes ...., Vanina dénonce la *vente* au ....

j) Dans le mot qu'il laisse à Vanina, Pietro annonce qu'il va se constituer .... et demande à Vanina de le ....

ÉTUDIER LE VOCABULAIRE ET LA GRAMMAIRE (L. 504 À 519)

2. Relevez les différents participes passés et expliquez leur accord.

3. Dans la première phrase de la réplique de Vanina, quels sont le mode et le temps des verbes « *porte* » (l. 515), « *lise* » (l. 515) et « *rende* » (l. 516) ? Quelle est leur valeur ?

4. Quels sont les compléments de chacun des trois verbes analysés dans la question précédente ?

5. Dans la réplique de Vanina, quelle est la nature des propositions subordonnées de la seconde phrase ?

6. En quoi les propositions repérées dans la question précédente expriment-elles l'autorité de Vanina ?

scène archétypale : **scène typique, qui figure dans de nombreuses œuvres.**

ÉTUDIER LE PREMIER MALENTENDU (L. 292 À 318)

7. En quoi le souvenir du mot de Bonaparte pousse-t-il Pietro à partir ?

8. Relevez, dans les répliques de Vanina, les pronoms personnels qui désignent Pietro. Qu'en déduisez-vous ?

9. Quelle conclusion peut-on tirer de la dernière phrase du passage ?

ÉTUDIER LA SCÈNE DE DEMANDE EN MARIAGE (L. 317 À 357)

10. Dans quelle mesure peut-on dire que Stendhal traite de manière originale la scène archétypale* de la demande en mariage ?

11. Quel argument Vanina utilise-t-elle pour appuyer sa demande ?

12. Qu'est-ce qui explique le refus de Missirilli ?

13. Quels sont successivement les différents sentiments de Vanina ?

LIRE L'IMAGE

14. En quoi l'histoire racontée par Stendhal présente-t-elle des points communs avec celle de *Roméo et Juliette* (*cf.* gravure de la page 33) ?

15. Comment cette même gravure exprime-t-elle l'interdiction qui pèse sur l'amour des deux jeunes gens ?

À VOS PLUMES !

16. Missirilli, ne voyant pas Vanina arriver comme prévu au château de San Nicolò (l. 412-413), lui écrit une lettre pour lui raconter ce qu'il fait, lui parler de l'importance de ses projets politiques et lui demander aussi si elle l'a oublié.

17. L'ancienne servante que Vanina a envoyée chez le cardinal-légat raconte à celle-ci la scène, en exprimant ses angoisses et la manière dont elle a perçu les événements. Composez ce récit.

Une heure après, elle était en route pour Rome. Depuis longtemps son père la pressait de revenir. Pendant son absence, il avait arrangé son mariage avec le prince Livio Savelli. À peine Vanina fut-elle arrivée, qu'il lui en parla en tremblant. À son grand étonnement, elle consentit dès le premier mot. Le soir même, chez la comtesse Vitteleschi, son père lui présenta presque officiellement don Livio ; elle lui parla beaucoup. C'était le jeune homme le plus élégant et qui avait les plus beaux chevaux ; mais quoiqu'on lui reconnût beaucoup d'esprit, son caractère passait pour tellement léger, qu'il n'était nullement suspect au gouvernement. Vanina pensa qu'en lui faisant d'abord tourner la tête, elle en ferait un agent commode. Comme il était neveu de monsignor Savelli-Catanzara, gouverneur de Rome et ministre de la police, elle supposait que les espions n'oseraient le suivre.

Après avoir fort bien traité, pendant quelques jours, l'aimable don Livio, Vanina lui annonça que jamais il ne serait son époux ; il avait, suivant elle, la tête trop légère.

– Si vous n'étiez pas un enfant, lui dit-elle, les commis[1] de votre oncle n'auraient pas de secrets pour vous. Par exemple, quel parti prend-on à l'égard des carbonari découverts récemment à Forli ?

Don Livio vint lui dire, deux jours après, que tous les carbonari pris à Forli s'étaient évadés. Elle arrêta sur lui ses grands yeux noirs avec le sourire amer du plus profond mépris, et ne daigna pas lui parler de toute la soirée. Le surlendemain, don Livio vint lui avouer, en rougissant, que d'abord on l'avait trompé.

note

1. commis : employés, serviteurs.

Ci-dessus : Alain Delon et Claudia Cardinale dans *Le Guépard*, film de Luchino Visconti, 1963.
Ci-contre : *Le Pardon*, lithographie d'Achille Devéria (1800-1857).

– Mais, lui dit-il, je me suis procuré une clef du cabinet de mon oncle ; j'ai vu par les papiers que j'y ai trouvés 630 qu'une *congrégation* (ou commission), composée des cardinaux et des prélats[1] les plus en crédit[2], s'assemble dans le plus grand secret, et délibère sur la question de savoir s'il convient de juger ces carbonari à Ravenne[3] ou à Rome. Les neuf carbonari pris à Forli, et leur chef, un nommé 635 Missirilli, qui a eu la sottise de se rendre, sont en ce moment détenus au château de San Leo[4].

À ce mot de *sottise*, Vanina pinça le prince de toute sa force.

– Je veux moi-même, lui dit-elle, voir les papiers offi- 640 ciels et entrer avec vous dans le cabinet de votre oncle ; vous aurez mal lu.

À ces mots, don Livio frémit ; Vanina lui demandait une chose presque impossible ; mais le génie bizarre de cette jeune fille redoublait son amour. Peu de jours après, Vanina, 645 déguisée en homme et portant un joli petit habit à la livrée[5] de la casa[6] Savelli, put passer une demi-heure au milieu des papiers les plus secrets du ministre de la police. Elle eut un mouvement de vif bonheur, lorsqu'elle découvrit le rapport journalier du *prévenu*[7] *Pietro Missirilli*. Ses 650 mains tremblaient en tenant ce papier. En relisant ce nom, elle fut sur le point de se trouver mal. Au sortir du palais du gouverneur de Rome, Vanina permit à don Livio de l'embrasser.

notes

1. prélats : religieux proches du pape.

2. en crédit : pouvant influencer.

3. Ravenne : ville du nord de l'Italie, proche de la mer Adriatique.

4. San Leo : près de Rimini, en Romagne. C'est dans ce château que périt le fameux Cagliostro* ; on dit dans le pays qu'il y fut étouffé (note de Stendhal).
* Cagliostro : aventurier italien (1743-1795).

5. livrée : tenue de valet spécifique à une famille.

6. casa : maison, famille (terme italien).

7. prévenu : inculpé, mis en examen.

– Vous vous tirez bien, lui dit-elle, des épreuves auxquelles je veux vous soumettre.

Après un tel mot, le jeune prince eût mis le feu au Vatican pour plaire à Vanina. Ce soir-là, il y avait bal chez l'ambassadeur de France ; elle dansa beaucoup et presque toujours avec lui. Don Livio était ivre de bonheur, il fallait l'empêcher de réfléchir.

– Mon père est quelquefois bizarre, lui dit un jour Vanina, il a chassé ce matin deux de ses gens qui sont venus pleurer chez moi. L'un m'a demandé d'être placé chez votre oncle le gouverneur de Rome ; l'autre qui a été soldat d'artillerie sous les Français, voudrait être employé au château Saint-Ange.

– Je les prends tous les deux à mon service, dit vivement le jeune prince.

– Est-ce là ce que je vous demande ? répliqua fièrement Vanina. Je vous répète textuellement la prière de ces pauvres gens ; ils doivent obtenir ce qu'ils ont demandé, et pas autre chose.

Rien de plus difficile. Monsignor Catanzara n'était rien moins qu'un homme léger[1], et n'admettait dans sa maison que des gens de lui bien connus. Au milieu d'une vie remplie, en apparence, par tous les plaisirs, Vanina, bourrelée de remords, était fort malheureuse. La lenteur des événements la tuait. L'homme d'affaires de son père lui avait procuré de l'argent. Devait-elle fuir la maison paternelle et aller en Romagne essayer de faire évader son amant ? Quelque déraisonnable que fût cette idée[2], elle

notes

1. rien moins qu'un homme léger : tout sauf un homme insouciant, irréfléchi.

2. quelque déraisonnable que fût cette idée : bien que cette idée fût déraisonnable.

Le Thé, lithographie d'Achille Devéria, 1829.

Alain Delon et Claudia Cardinale dans *Le Guépard*, film de Luchino Visconti, 1963.

était sur le point de la mettre à exécution lorsque le hasard eut pitié d'elle.

Don Livio lui dit :

685 – Les dix carbonari de la *vente* Missirilli vont être transférés à Rome, sauf à être exécutés[1] en Romagne, après leur condamnation. Voilà ce que mon oncle vient d'obtenir du pape ce soir. Vous et moi sommes les seuls dans Rome qui sachions ce secret. Êtes-vous contente ?

690 – Vous devenez un homme, répondit Vanina ; faites-moi cadeau de votre portrait.

La veille du jour où Missirilli devait arriver à Rome, Vanina prit un prétexte pour aller à Città-Castellana. C'est dans la prison de cette ville que l'on fait coucher les 695 carbonari que l'on transfère de la Romagne à Rome. Elle vit Missirilli le matin, comme il sortait de la prison : il était enchaîné seul sur une charrette ; il lui parut fort pâle, mais nullement découragé. Une vieille femme lui jeta un bouquet de violettes, Missirilli sourit en la remerciant.

700 Vanina avait vu son amant, toutes ses pensées semblèrent renouvelées ; elle eut un nouveau courage. Dès longtemps[2] elle avait fait obtenir un bel avancement à M. l'abbé Cari, aumônier du château Saint-Ange, où son amant allait être enfermé ; elle avait pris ce bon prêtre pour confesseur. Ce 705 n'est pas peu de chose à Rome que d'être confesseur[3] d'une princesse, nièce du gouverneur.

Le procès des carbonari de Forli ne fut pas long. Pour se venger de leur arrivée à Rome, qu'il n'avait pu empêcher, le parti ultra[4] fit composer la commission qui devait les

notes

1. *sauf à être exécutés :* quitte à ce qu'on les exécute.

2. *dès longtemps :* depuis longtemps.

3. *confesseur :* prêtre qui reçoit la confession (fait de dire ce que l'on a fait de mal) dans la religion catholique.

4. *parti ultra :* parti politique le plus réactionnaire.

710 juger des prélats les plus ambitieux. Cette commission fut présidée par le ministre de la police.

La loi contre les carbonari est claire : ceux de Forli ne pouvaient conserver aucun espoir ; ils n'en défendirent pas moins leur vie par tous les subterfuges[1] possibles. Non seu-
715 lement leurs juges les condamnèrent à mort, mais plusieurs opinèrent pour[2] des supplices atroces, le poing coupé, etc. Le ministre de la police dont la fortune était faite (car on ne quitte cette place que pour prendre le chapeau[3]) n'avait nul besoin de poing coupé ; en portant la sentence[4] au pape, il
720 fit commuer[5] en quelques années de prison la peine de tous les condamnés. Le seul Pietro Missirilli fut excepté. Le ministre voyait dans ce jeune homme un fanatique dangereux, et d'ailleurs il avait aussi été condamné à mort comme coupable de meurtre sur les deux carabiniers dont nous
725 avons parlé. Vanina sut la sentence et la commutation[6] peu d'instants après que le ministre fut revenu de chez le pape.

Le lendemain, monsignor Catanzara rentra dans son palais vers le minuit, il ne trouva point son valet de chambre ; le ministre, étonné, sonna plusieurs fois ; enfin
730 parut un vieux domestique imbécile : le ministre, impatienté, prit le parti de se déshabiller lui-même. Il ferma sa porte à clef ; il faisait fort chaud : il prit son habit et le lança en paquet sur une chaise. Cet habit, jeté avec trop de force, passa par-dessus la chaise, alla frapper le rideau de mousse-
735 line de la fenêtre, et dessina la forme d'un homme. Le ministre se jeta rapidement vers son lit et saisit un pistolet.

notes

1. subterfuges : moyens.

2. opinèrent pour : se prononcèrent pour.

3. prendre le chapeau : devenir cardinal.

4. sentence : verdict.

5. commuer : changer.

6. commutation : changement.

Rome, le Vatican.

Comme il revenait près de la fenêtre, un fort jeune homme, couvert de sa livrée, s'approcha de lui le pistolet à la main. À cette vue, le ministre approcha le pistolet de son œil ; il allait tirer. Le jeune homme lui dit en riant :

740

– Eh quoi ! monseigneur, ne reconnaissez-vous pas Vanina Vanini ?

– Que signifie cette mauvaise plaisanterie ? répliqua le ministre en colère.

745 – Raisonnons froidement, dit la jeune fille. D'abord votre pistolet n'est pas chargé.

Le ministre, étonné, s'assura du fait ; après quoi il tira un poignard de la poche de son gilet[1].

Vanina lui dit avec un petit air d'autorité charmant :

750 – Asseyons-nous, monseigneur.

Et elle prit place tranquillement sur un canapé.

– Êtes-vous seule au moins ? dit le ministre.

– Absolument seule, je vous le jure ! s'écria Vanina.

C'est ce que le ministre eut soin de vérifier : il fit le tour

755 de la chambre et regarda partout ; après quoi il s'assit sur une chaise à trois pas de Vanina.

– Quel intérêt aurais-je, dit Vanina d'un air doux et tranquille, d'attenter aux jours[2] d'un homme modéré, qui probablement serait remplacé par quelque homme faible à

760 tête chaude[3], capable de se perdre soi et les autres ?

notes

1. gilet : un prélat romain serait hors d'état, sans doute, de commander un corps d'armée avec bravoure, comme il est arrivé plusieurs fois à un général de division qui était ministre de la police à Paris, lors de l'entreprise de Mallet ; mais jamais il ne se laisserait arrêter chez lui aussi simplement. Il aurait bien trop peur des plaisanteries de ses collègues. Un Romain qui se sait haï ne marche que bien armé. On n'a pas cru nécessaire de justifier plusieurs autres petites différences entre les façons d'agir de Paris et celles de Rome. Loin d'amoindrir ces différences, on a cru devoir les écrire hardiment. Les Romains que l'on peint n'ont pas l'honneur d'être Français (note de Stendhal).

2. attenter aux jours : tenter de tuer.

3. tête chaude : esprit qui s'emporte facilement.

– Que voulez-vous donc, mademoiselle ? dit le ministre avec humeur. Cette scène ne me convient point et ne doit pas durer.

– Ce que je vais ajouter, reprit Vanina avec hauteur[1], et
765 oubliant tout à coup son air gracieux, importe à vous plus qu'à moi. On veut que le carbonaro Missirilli ait la vie sauve : s'il est exécuté, vous ne lui survivrez pas d'une semaine. Je n'ai aucun intérêt à tout ceci ; la folie dont vous vous plaignez, je l'ai faite pour m'amuser d'abord, et
770 ensuite pour servir une de mes amies. J'ai voulu, continua Vanina, en reprenant son air de bonne compagnie[2], j'ai voulu rendre service à un homme d'esprit, qui bientôt sera mon oncle, et doit porter loin, suivant toute apparence, la fortune de sa maison.

775 Le ministre quitta l'air fâché : la beauté de Vanina contribua sans doute à ce changement rapide. On connaissait dans Rome le goût de monseigneur Catanzara pour les jolies femmes, et, dans son déguisement en valet de pied de la casa Savelli, avec des bas de soie bien tirés, une veste
780 rouge, son petit habit bleu de ciel galonné d'argent[3], et le pistolet à la main, Vanina était ravissante.

– Ma future nièce, dit le ministre presque en riant, vous faites là une haute folie, et ce ne sera pas la dernière.

– J'espère qu'un personnage aussi sage, répondit Vanina,
785 me gardera le secret, et surtout envers don Livio, et pour vous y engager, mon cher oncle, si vous m'accordez la vie du protégé de mon amie, je vous donnerai un baiser.

Ce fut en continuant la conversation sur ce ton de demi-plaisanterie, avec lequel les dames romaines savent

notes

1. hauteur : expression d'orgueil liée à sa condition d'aristocrate.

2. air de bonne compagnie : air d'amabilité mondaine.

3. galonné d'argent : portant des galons d'argent.

790 traiter les plus grandes affaires, que Vanina parvint à donner à cette entrevue, commencée le pistolet à la main, la couleur d'une visite faite par la jeune princesse Savelli à son oncle le gouverneur de Rome.

Bientôt monseigneur Catanzara, tout en rejetant avec 795 hauteur l'idée de s'en laisser imposer par la crainte, en fut à raconter à sa nièce toutes les difficultés qu'il rencontrerait pour sauver la vie de Missirilli. En discutant, le ministre se promenait dans la chambre avec Vanina ; il prit une carafe de limonade qui était sur sa cheminée et en remplit 800 un verre de cristal. Au moment où il allait le porter à ses lèvres, Vanina s'en empara, et, après l'avoir tenu quelque temps, le laissa tomber dans le jardin comme par distraction. Un instant après, le ministre prit une pastille de chocolat dans une bonbonnière, Vanina la lui enleva, et lui 805 dit en riant :

– Prenez donc garde, tout chez vous est empoisonné ; car on voulait votre mort. C'est moi qui ai obtenu la grâce de mon oncle futur, afin de ne pas entrer dans la famille Savelli absolument les mains vides.

810 Monseigneur Catanzara, fort étonné, remercia sa nièce, et donna de grandes espérances pour la vie de Missirilli.

– Notre marché est fait ! s'écria Vanina, et la preuve, c'est qu'en voici la récompense, dit-elle en l'embrassant.

Le ministre prit la récompense.

815 – Il faut que vous sachiez, ma chère Vanina, ajouta-t-il, que je n'aime pas le sang, moi. D'ailleurs, je suis jeune encore, quoique peut-être je vous paraisse bien vieux, et je puis vivre à une époque où le sang versé aujourd'hui fera tache[1].

note

1. *fera tache* : me fera tort.

Léon XII, pape de 1823 à 1829,
gravure de Tassaert d'après un dessin d'Octave.

820 Deux heures sonnaient quand monseigneur Catanzara accompagna Vanina jusqu'à la petite porte de son jardin.

Le surlendemain, lorsque le ministre parut devant le pape, assez embarrassé de la démarche qu'il avait à faire, Sa Sainteté lui dit :

825 – Avant tout, j'ai une grâce à vous demander. Il y a un de ces carbonari de Forli qui est resté condamné à mort ; cette idée m'empêche de dormir : il faut sauver cet homme.

Le ministre, voyant que le pape avait pris son parti, fit beaucoup d'objections[1], et finit par écrire un décret ou
830 *motu proprio*[2], que le pape signa, contre l'usage.

notes

1. objections : arguments opposés.

2. motu proprio : sorte de décret signifiant une décision du pape.

Vanina avait pensé que peut-être elle obtiendrait la grâce de son amant, mais qu'on tenterait de l'empoisonner. Dès la veille, Missirilli avait reçu de l'abbé Cari, son confesseur, quelques petits paquets de biscuits de mer, avec l'avis 835 de ne pas toucher aux aliments fournis par l'État.

Vanina ayant su après que les carbonari de Forli allaient être transférés au château de San Leo, voulut essayer de voir Missirilli à son passage à Città-Castellana ; elle arriva dans cette ville vingt-quatre heures avant les prisonniers ; elle y 840 trouva l'abbé Cari, qui l'avait précédée de plusieurs jours. Il avait obtenu du geôlier[1] que Missirilli pourrait entendre la messe, à minuit, dans la chapelle de la prison. On alla plus loin : si Missirilli voulait consentir à se laisser lier les bras et les jambes par une chaîne, le geôlier se retirerait vers 845 la porte de la chapelle, de manière à voir toujours le prisonnier, dont il était responsable, mais à ne pouvoir entendre ce qu'il dirait.

note

1. geôlier : gardien de prison.

Au fil du texte

Questions sur l'extrait des pages 48 à 60

Avez-vous bien lu ?

1. Quelles sont les propositions exactes ? Cochez la bonne case.

	VRAI	FAUX
a) De retour à Rome, Vanina demande à son père si elle peut épouser Livio Savelli.	☐	☐
b) Vanina séduit Livio pour l'utiliser à ses fins.	☐	☐
c) Livio aide Vanina à pénétrer dans le bureau du pape.	☐	☐
d) Missirilli est transféré à Rome pour être jugé.	☐	☐
e) Vanina fait pression sur le ministre de la police pour que les juges soient indulgents.	☐	☐
f) Missirilli est condamné à vingt ans de prison.	☐	☐
g) Vanina s'introduit nuitamment chez le ministre de la police.	☐	☐
h) Vanina fait croire au ministre qu'il est menacé de mort.	☐	☐
i) Vanina embrasse le ministre pour le remercier.	☐	☐
j) Le ministre explique au pape qu'il doit lever la condamnation à mort de Missirilli.	☐	☐

ÉTUDIER LE VOCABULAIRE ET LA GRAMMAIRE (L. 692 À 699)

2. Quels sont les différents temps utilisés ?

3. En quoi les temps utilisés sont-ils caractéristiques de la chronique* ?

4. Relevez les différents compléments circonstanciels en précisant leur nature.

chronique : **récit qui met en avant un contexte historique.**

implicite : **sous-entendu.**

5. Donnez la nature des différentes propositions dans les deux dernières phrases du passage (l. 695 à 699).

6. Quelle impression produisent la nature des propositions et l'usage de la ponctuation à l'intérieur des deux dernières phrases du passage ?

7. Qui est, selon vous, la vieille femme qui jette un bouquet de violettes à Missirilli ? Que peut-on en déduire quant à la manière d'écrire de Stendhal ?

ÉTUDIER LA REPRÉSENTATION DE LA SOCIÉTÉ ITALIENNE

8. Donnez les limites des passages dans lesquels on peut percevoir une critique de la justice. Quels reproches implicites* devine-t-on ?

9. Dans quelle mesure peut-on dire que la décision finale n'appartient pas au tribunal désigné pour juger les carbonari ? Qu'est-ce qui pousse le ministre à aider Vanina ?

ÉTUDIER UN PERSONNAGE : VANINA VANINI

10. À quels moments du récit voit-on que Vanina utilise tout son pouvoir de séduction pour obtenir ce qu'elle veut ?

11. En quoi voit-on que Vanina est un personnage réfléchi et calculateur ?

12. En quoi voit-on que Vanina est un personnage passionné ?

LIRE L'IMAGE

13. Comment la gravure du haut de la page 52 exprime-t-elle le luxe dans lequel vivent les personnages représentés ?

14. En quoi consistent, selon l'auteur de la gravure, les plaisirs de cette réunion mondaine ?

À VOS PLUMES !

15. On apprend au début du passage que don Asdrubale Vanini a arrangé le mariage de sa fille avec Livio Savelli. *« À peine Vanina fut-elle arrivée, qu'il lui en parla en tremblant »* (l. 602-603). Imaginez la scène esquissée par Stendhal.

16. Composez un récit qui mette en scène un personnage à la fois passionné et calculateur. Peu scrupuleux, il est prêt à tout pour satisfaire sa passion pour un sport de votre choix. Rédigez le récit en adoptant un point de vue objectif.

17. Reprenez la situation donnée dans l'exercice précédent et imaginez le récit que pourrait faire un camarade indigné d'un tel comportement.

Le jour qui devait décider du sort de Vanina parut enfin. Dès le matin, elle s'enferma dans la chapelle de la prison. 850 Qui pourrait dire les pensées qui l'agitèrent durant cette longue journée ? Missirilli l'aimait-il assez pour lui pardonner ? Elle avait dénoncé sa *vente*, mais elle lui avait sauvé la vie. Quand la raison prenait le dessus dans cette âme bourrelée[1], Vanina espérait qu'il voudrait consentir à 855 quitter l'Italie avec elle : si elle avait péché, c'était par excès d'amour. Comme quatre heures sonnaient, elle entendit de loin, sur le pavé, les pas des chevaux des carabiniers[2]. Le bruit de chacun de ces pas semblait retentir dans son cœur. Bientôt elle distingua le roulement des charrettes qui trans- 860 portaient les prisonniers. Elles s'arrêtèrent sur la petite place devant la prison ; elle vit deux carabiniers soulever Missirilli, qui était seul sur une charrette, et tellement chargé de fers qu'il ne pouvait se mouvoir. « Du moins il vit, se dit-elle les larmes aux yeux, ils ne l'ont pas encore 865 empoisonné ! » La soirée fut cruelle ; la lampe de l'autel, placée à une grande hauteur, et pour laquelle le geôlier épargnait l'huile, éclairait seule cette chapelle sombre. Les yeux de Vanina erraient sur les tombeaux de quelques grands seigneurs du Moyen Âge morts dans la prison 870 voisine. Leurs statues avaient l'air féroce.

Tous les bruits avaient cessé depuis longtemps ; Vanina était absorbée dans ses noires pensées. Un peu après que minuit eut sonné, elle crut entendre un bruit léger comme le vol d'une chauve-souris. Elle voulut marcher, et tomba 875 à demi évanouie sur la balustrade de l'autel. Au même instant, deux fantômes se trouvèrent tout près d'elle, sans

notes

1. bourrelée : ici, torturée par le remords.

2. carabiniers : gendarmes italiens.

Eau-forte de Giambattista Piranesi, dit Piranèse (1720-1778), planche 2 de la série sur les prisons (1750-1760).

qu'elle les eût entendus venir. C'étaient le geôlier et Missirilli chargé de chaînes, au point qu'il en était comme emmailloté. Le geôlier ouvrit une lanterne, qu'il posa sur 880 la balustrade de l'autel, à côté de Vanina, de façon à ce qu'il pût bien voir son prisonnier. Ensuite il se retira dans le fond, près de la porte. À peine le geôlier se fut-il éloigné que Vanina se précipita au cou de Missirilli. En le serrant dans ses bras, elle ne sentit que ses chaînes froides et poin- 885 tues. « Qui les lui a données ces chaînes ? » pensa-t-elle. Elle n'eut aucun plaisir à embrasser son amant. À cette douleur en succéda une autre plus poignante ; elle crut un instant que Missirilli savait son crime, tant son accueil fut glacé.

890 – Chère amie, lui dit-il enfin, je regrette l'amour que vous avez pris pour moi ; c'est en vain que je cherche le mérite qui a pu vous l'inspirer. Revenons, croyez-m'en, à des sentiments plus chrétiens, oublions les illusions qui jadis nous ont égarés ; je ne puis vous appartenir. Le 895 malheur constant qui a suivi mes entreprises vient peut-être de l'état de péché mortel[1] où je me suis constamment trouvé. Même à n'écouter que les conseils de la prudence humaine, pourquoi n'ai-je pas été arrêté avec mes amis, lors de la fatale nuit de Forli ? Pourquoi, à l'instant du 900 danger, ne me trouvais-je pas à mon poste ? Pourquoi mon absence a-t-elle pu autoriser les soupçons les plus cruels ? J'avais une autre passion que celle de la liberté de l'Italie.

Vanina ne revenait pas de la surprise que lui causait le changement de Missirilli. Sans être sensiblement maigri, il

note

1. péché mortel : dans la religion catholique, faute qui condamne à l'enfer.

905 avait l'air d'avoir trente ans. Vanina attribua ce changement aux mauvais traitements qu'il avait soufferts en prison, elle fondit en larmes.

– Ah ! lui dit-elle, les geôliers avaient tant promis qu'ils te traiteraient avec bonté.

910 Le fait est qu'à l'approche de la mort, tous les principes religieux qui pouvaient s'accorder avec la passion pour la liberté de l'Italie avaient reparu dans le cœur du jeune carbonaro. Peu à peu Vanina s'aperçut que le changement étonnant qu'elle remarquait chez son amant était tout 915 moral, et nullement l'effet de mauvais traitements physiques. Sa douleur, qu'elle croyait au comble, en fut encore augmentée.

Missirilli se taisait ; Vanina semblait sur le point d'être étouffée par ses sanglots. Il ajouta d'un air un peu ému lui-920 même :

– Si j'aimais quelque chose sur la terre, ce serait vous, Vanina ; mais grâce à Dieu, je n'ai plus qu'un seul but dans ma vie : je mourrai en prison, ou en cherchant à donner la liberté à l'Italie.

925 Il y eut encore un silence ; évidemment Vanina ne pouvait parler : elle l'essayait en vain. Missirilli ajouta :

– Le devoir est cruel, mon amie ; mais s'il n'y avait pas un peu de peine à l'accomplir, où serait l'héroïsme ? Donnez-moi votre parole que vous ne chercherez plus à 930 me voir.

Autant que sa chaîne assez serrée le lui permettait, il fit un petit mouvement du poignet, et tendit les doigts à Vanina.

– Si vous permettez un conseil à un homme qui vous 935 fut cher, mariez-vous sagement à l'homme de mérite que votre père vous destine. Ne lui faites aucune confidence fâcheuse ; mais, d'un autre côté, ne cherchez jamais à me revoir ; soyons désormais étrangers l'un à l'autre. Vous avez avancé une somme considérable pour le service de la patrie ; 940 si jamais elle est délivrée de ses tyrans, cette somme vous sera fidèlement payée en biens nationaux[1].

Vanina était atterrée[2]. En lui parlant, l'œil de Pietro n'avait brillé qu'au moment où il avait nommé la patrie.

Enfin l'orgueil vint au secours de la jeune princesse ; 945 elle s'était munie de diamants et de petites limes. Sans répondre à Missirilli, elle les lui offrit.

– J'accepte par devoir, lui dit-il, car je dois chercher à m'échapper ; mais je ne vous verrai jamais, je le jure en présence de vos nouveaux bienfaits. Adieu, Vanina ; 950 promettez-moi de ne jamais m'écrire, de ne jamais chercher à me voir ; laissez-moi tout à la patrie, je suis mort pour vous : adieu.

– Non, reprit Vanina furieuse, je veux que tu saches ce que j'ai fait, guidée par l'amour que j'avais pour toi.

955 Alors elle lui raconta toutes ses démarches depuis le moment où Missirilli avait quitté le château de San Nicolò, pour aller se rendre au légat. Quand ce récit fut terminé :

– Tout cela n'est rien, dit Vanina : j'ai fait plus, par amour 960 pour toi.

Alors elle lui dit sa trahison.

– Ah ! monstre, s'écria Pietro furieux, en se jetant sur elle, et il cherchait à l'assommer avec ses chaînes.

notes

1. ***biens nationaux :*** biens confisqués à la noblesse et au clergé (allusion à ce qui se produisit en France lors de la Révolution, en 1793).

2. ***atterrée :*** effondrée, réduite à néant.

Il y serait parvenu sans le geôlier qui accourut aux
965 premiers cris. Il saisit Missirilli.

– Tiens, monstre, je ne veux rien te devoir, dit Missirilli à Vanina, en lui jetant, autant que ses chaînes le lui permettaient, les limes et les diamants, et il s'éloigna rapidement.

Vanina resta anéantie. Elle revint à Rome ; et le journal
970 annonce qu'elle vient d'épouser le prince don Livio Savelli.

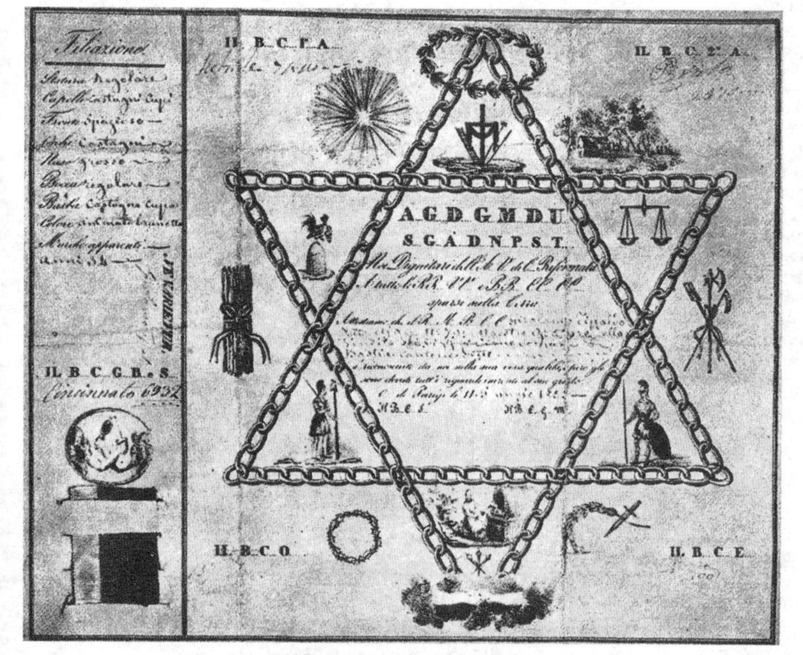

Diplôme de la Charbonnerie.

Au fil du texte

Questions sur l'extrait des pages 64 à 69

AVEZ-VOUS BIEN LU ?

1. Combien de temps Vanina reste-t-elle à attendre Missirilli dans la chapelle ?

....

....

....

2. Missirilli et Vanina sont-ils seuls dans la chapelle ?

....

....

....

3. Quels sont les sentiments de Missirilli envers Vanina au début de l'entretien ?

....

....

....

4. Pourquoi Missirilli accepte-il tout d'abord les diamants et les limes que lui donne Vanina ? Pourquoi les refuse-t-il ensuite ?

....

....

....

verbe introducteur : **verbe de parole qui permet d'introduire une parole rapportée dans un récit.**

proposition incise : **proposition constituée au minimum d'un verbe introducteur et de son sujet inversé ; elle introduit une parole directe dans le récit.**

ÉTUDIER LE VOCABULAIRE ET LA GRAMMAIRE : LES PAROLES RAPPORTÉES

5. Relevez les verbes introducteurs* dans les propositions incises* du dialogue.

6. Quels sont les différents signes de ponctuation utilisés par Stendhal pour signaler le discours direct* ?

7. Relevez un exemple de discours indirect libre* et un exemple de discours narrativisé*.

8. Quel est l'effet produit par la diversité des types de paroles rapportées et par l'alternance du dialogue et du récit ?

9. Par quels procédés Stendhal exprime-t-il les pensées de Vanina ?

ÉTUDIER UN PERSONNAGE : VANINA VANINI

10. Relevez le champ lexical* de la souffrance se rapportant à Vanina.

11. Quels sont successivement les différents sentiments éprouvés par la jeune fille ?

12. Dans quelle mesure peut-on dire que Vanina continue à utiliser sa condition sociale élevée pour parvenir à ses fins ?

ÉTUDIER LE DÉNOUEMENT

13. Pour quelles raisons Vanina raconte-t-elle à Pietro sa trahison ?

14. Dans quelle mesure ce récit précipite-t-il le dénouement* ?

15. En quoi peut-on dire que Vanina avait déjà perdu Missirilli avant le récit de la dénonciation ? Appuyez-vous sur des références au texte précises.

discours direct : **les paroles prononcées nous sont rapportées telles qu'elles ont été dites.**

discours indirect libre : **l'intonation de la parole rapportée est gardée mais le discours adopte le temps et la personne du récit.**

discours narrativisé : **la parole prononcée est simplement résumée dans le récit.**

champ lexical : **ensemble des termes qui se rapportent à une même notion.**

dénouement : **fin de l'histoire.**

16. Quels sont les temps utilisés dans le dernier paragraphe de la nouvelle (l. 969 à 970) ? Quelles sont leurs valeurs respectives ?

17. Où se situe l'ellipse* temporelle dans le dernier paragraphe ? Quel est l'effet produit ?

18. Quelle est la nature de chaque proposition utilisée dans le dernier paragraphe ? Quel est l'effet produit ?

19. Sur quels éléments précis repose l'impression de neutralité qui se dégage des dernières lignes ?

20. Que pensez-vous des dernières lignes du récit et du dénouement choisi par Stendhal ?

***ellipse* :** **saut dans le temps qui permet d'éviter de raconter des événements sans intérêt pour l'histoire.**

Lire l'image

21. Comment la gravure reproduite page 65 représente-t-elle les souffrances des prisonniers ?

À vos plumes !

22. En imaginant que Missirilli pardonne à Vanina, récrivez la scène finale du récit en alternant récit et dialogue et en variant les procédés pour rapporter les paroles.

23. Écrivez le monologue intérieur de Vanina lors de son retour à Rome.

24. Vanina, rentrée à Rome, retrouve Livio Savelli. Écrivez cette scène en alternant récit et dialogue tout en variant divers procédés pour rapporter les paroles.

Retour sur l'œuvre

L'INTRIGUE

1. Indiquez si les propositions suivantes sont vraies ou fausses.

	VRAI	FAUX
a) Vanina rencontre Missirilli lors d'un bal.	☐	☐
b) Vanina est une comtesse romaine.	☐	☐
c) Le père de Missirilli est un chirurgien de campagne.	☐	☐
d) La comtesse Vitteleschi permet à Missirilli d'échapper aux soldats qui le poursuivent.	☐	☐
e) Missirilli dit tout d'abord à Vanina qu'il s'appelle « Clémentine ».	☐	☐
f) Lorsque Missirilli a quitté Rome, Vanina le retrouve au château de San Nicolò.	☐	☐
g) Vanina envoie son valet porter une lettre de dénonciation au cardinal-légat.	☐	☐
h) Vanina espérait qu'après l'arrestation des carbonari son amant s'enfuirait avec elle.	☐	☐
i) Missirilli se livre à la police quand il découvre que ses amis ont été arrêtés.	☐	☐
j) Vanina se déguise en valet pour rencontrer le ministre de la police.	☐	☐
k) Vanina promet au ministre de la police qu'elle l'épousera s'il obtient la libération de Missirilli.	☐	☐
l) Le pape ne veut pas que Missirilli soit condamné à mort.	☐	☐

	VRAI	FAUX
m) Les carbonari de la *vente* dénoncée par Vanina sont tous condamnés à mort.	☐	☐
n) Le ministre de la police est aussi gouverneur de Rome.	☐	☐
o) Vanina Vanini tombe amoureuse de Livio Savelli.	☐	☐
p) Vanina se déguise en vieille femme pour pouvoir rencontrer Missirilli dans une chapelle.	☐	☐
q) Vanina attend Missirilli plus de huit heures dans la chapelle.	☐	☐
r) Missirilli pardonne à Vanina sa trahison.	☐	☐
s) Missirilli refuse l'argent que lui apporte Vanina dans la chapelle.	☐	☐
t) Vanina épouse Livio Savelli.	☐	☐

Les personnages

2. Autour de Vanina Vanini et de Pietro Missirilli, très peu de personnages sont individualisés. Retrouvez les personnages qui ont un nom en vous aidant des indications suivantes.

a) Mes deux fils sont morts et ma fille unique a 19 ans.

....

b) Je suis un jeune Romain très élégant.

....

c) Je suis une amie du prince Vanini.

....

d) Je suis le confesseur de Vanina.

....

e) Je suis gouverneur de Rome.

....

L'ARGENT

3. Vanina est une riche princesse qui sait mettre l'argent au service de sa passion ; reliez les citations suivantes aux épisodes correspondants et placez-les dans l'ordre chronologique.

Citations

a) « J'espère que vous accepterez de moi des armes et de l'argent. »

b) « Voici dix sequins. »

c) « Deux cent mille livres de rente. »

d) « Elle apportait deux mille sequins. »

e) « Elle s'était munie de diamants et de petites limes. »

Épisodes

1. Missirilli, chef d'une *vente*, prépare son action.

2. Missirilli quitte Rome pour reprendre son activité de carbonaro.

3. Vanina offre à Missirilli le moyen de s'évader.

4. Vanina propose à Missirilli de l'épouser.

5. Vanina demande à une ancienne servante de porter un courrier au cardinal-légat.

Réponses

....

Les lieux clos

4. Divers lieux clos sont évoqués dans la nouvelle ; classez-les dans l'ordre chronologique de l'histoire.

a) Le fort Saint-Ange.

b) La prison du château de San Leo.

c) La petite chambre du château San Nicolò.

d) La prison de Città-Castellana.

e) La chambre du ministre de la police.

f) Le fort Saint-Ange.

g) La prison de Città-Castellana.

h) La petite chambre qui donne sur la terrasse garnie d'orangers.

i) La prison de Forli.

j) La prison de Forli.

Réponses

....

Dossier
Bibliocollège

Schéma narratif

Très épurée, la nouvelle de Stendhal *Vanina Vanini* raconte de manière simplement linéaire l'histoire tragique d'un amour impossible.

Situation initiale

La société aristocratique romaine est représentée par un bal chez le duc de B*** en 182*.

Éléments déclencheurs

Deux événements concomitants préparent les péripéties qui vont suivre :

• Vanina fait son apparition lors du bal chez le duc de B***.

• Un carbonaro est parvenu à s'évader du fort Saint-Ange.

Péripéties

Le mystérieux blessé

• Vanina découvre une présence dans la petite chambre qui donne sur la *« terrasse garnie d'orangers »*.

• Vanina fait malgré elle la connaissance de l'inconnu(e).

• Le carbonaro hébergé dit s'appeler « Clémentine ».

• Le jeune homme avoue enfin sa véritable identité : Pietro Missirilli.

Quatre mois d'un amour-passion

• L'attitude réservée de Missirilli fait croître la passion de Vanina qui devient sa maîtresse.

• Missirilli, que le chirurgien dit guéri, décide de quitter Rome pour reprendre ses activités clandestines de carbonaro.

En Romagne

• Missirilli attend Vanina ; il est élu chef d'une *vente*.
• Vanina retrouve Missirilli au château de San Nicolò.
• Vanina dénonce la *vente* organisée par son amant.
• Les carbonari sont arrêtés et Missirilli se rend.

À Rome

• Vanina Vanini utilise Livio Savelli pour obtenir des renseignements.
• Vanina s'arrange pour voir Missirilli, sans qu'il la reconnaisse, à Città-Castellana, une étape pour les prisonniers entre Forli, en Romagne, et Rome.
• Missirilli est transféré au fort Saint-Ange à Rome.
• Vanina, déguisée en valet, rencontre chez lui le ministre de la police et obtient son appui.

Élément de résolution

Dans la chapelle de la prison de Città-Castellana, Vanina avoue sa trahison à Missirilli qui refuse de lui pardonner et rejette son aide financière.

Situation finale

Vanina, « *anéantie* », épouse Livio Savelli.

Il était une fois Stendhal

La vie de Stendhal ressemble à une quête désespérée du bonheur. Conscient de sa laideur et détestant ses origines sociales, il se déguise sans cesse sous des pseudonymes, comme le font ses personnages. « *Je suis accoutumé à paraître le contraire de ce que je suis* », écrit-il en 1832 dans *Souvenirs d'égotisme*. Tout au long de son existence, on devine cette quête du bonheur, celle d'un homme qui aspire à l'idéal et méprise la médiocrité.

Une enfance difficile

Henri Beyle naît à Grenoble le 23 janvier 1783. Son père est avocat au parlement du Dauphiné et sa famille sera toujours partisane de l'Ancien Régime, y compris durant les années de la Révolution. Henri perd sa mère lorsqu'il a sept ans et cette disparition le marquera profondément. Détestant son père, il s'attache à son grand-père maternel dont l'esprit est ouvert aux idées nouvelles.

Dates clés

1783 : Henri Beyle naît dans une famille qui soutient l'Ancien Régime.

1792-1796 : Henri Beyle rejette sa famille et se tourne vers les sciences.

Un jeune homme révolté

En 1792, son éducation est confiée à l'abbé Raillane, un prêtre autoritaire qui incarne pour le jeune homme tout ce qu'il déteste : la société figée de l'Ancien Régime, le clergé. Henri Beyle soutient les idées révolutionnaires et s'oppose à sa famille monarchiste.
En 1796, le jeune Henri, passionné par les sciences qui représentent pour lui la modernité, entre à l'École centrale de Grenoble. Il y réussit brillamment et projette

de passer, à Paris, le concours d'entrée à l'École polytechnique.

Une passion pour Napoléon Bonaparte

Le 9 novembre 1799 (le 18 brumaire du calendrier révolutionnaire), Napoléon s'autoproclame consul (il deviendra empereur le 18 mai 1804). Le lendemain, Henri Beyle arrive à Paris et oublie très vite son projet de passer le concours d'entrée à l'École polytechnique. Napoléon le fascine et il entreprend de le suivre. Un de ses cousins le fait nommer sous-lieutenant au 6e régiment de dragons, ce qui lui permet donc de découvrir l'Italie en participant à la campagne militaire. Mais cette vie, qui l'enthousiasmait au départ, le déçoit, et il regagne Paris, puis démissionne. En tant que fonctionnaire impérial, il voyage ensuite en Allemagne, en Autriche et en Hongrie. En 1810, il devient auditeur au Conseil d'État, mais sa carrière n'ira pas plus loin car il ne parvient pas à devenir préfet. La campagne de Russie (qui marque la défaite française en 1812) et la capitulation de l'empereur en 1814 condamnent définitivement ses ambitions politiques.

Dates clés

1799-1814 : Henri, grand admirateur de Napoléon, participe à la campagne d'Italie.

Stendhal en Italie

Henri part à Milan retrouver sa maîtresse Angela Pietragrua, mais elle le quitte. Désemparé, il se met à écrire. C'est alors que le pseudonyme de « Stendhal », nom d'une ville connue lors du voyage en Allemagne, apparaît. Il compose l'*Histoire de la peinture en Italie* et *Rome, Naples et Florence* qui paraîtra en 1817.

Métilde Dembrowski repousse son amour passionné ; cette déception amoureuse nourrit ses réflexions dans un traité intitulé *De l'amour*.
En 1821, Stendhal rentre à Paris et prend parti pour la modernité littéraire des romantiques avec *Racine et Shakespeare*. En 1827, il publie son premier récit de fiction, *Armance*, puis, en 1829, *Vanina Vanini* dans *La Revue de Paris*.
En 1830, il connaît un énorme succès avec un roman, *Le Rouge et le Noir*, qu'il écrit très rapidement sans même le relire entièrement. En 1831, il est nommé consul de France près de Rome, à Civitavecchia.

Dates clés

1830 : *Le Rouge et le Noir* obtient un grand succès.

1839 : parution de *La Chartreuse de Parme*.

Une vie désabusée et des œuvres souvent inachevées

Stendhal s'ennuie à Civitavecchia et connaît différents déboires amoureux. Désabusé, il estime peu les hommes de son époque et compte alors sur la postérité pour reconnaître son talent. Il écrit beaucoup durant cette période, passant d'un genre à l'autre, d'une œuvre à l'autre, sans rien achever. Les récits de voyage succèdent aux œuvres autobiographiques que sont *Souvenirs d'égotisme* (1835) et *Vie de Henry Brulard* (1835-1836). *Lucien Leuwen* et *Lamiel* sont deux romans inachevés qui seront publiés après sa mort.
De retour à Paris depuis 1836, il va composer, du 4 au 26 novembre 1838, un vaste roman qui paraît en 1839 : *La Chartreuse de Parme*. Il écrit également des nouvelles en s'inspirant de manuscrits italiens lus chez Teresa Caetani à Rome en 1833. Ces récits seront réunis après sa mort sous le titre de *Chroniques italiennes*.
Il meurt d'une attaque d'apoplexie le 22 mars 1842.

Stendhal dans l'histoire du XIXe siècle

Né en 1783, sous l'Ancien Régime, dans une famille fidèle au roi, et mort en 1842 sous la monarchie de Juillet, Stendhal a connu tous les bouleversements politiques de la première moitié du XIXe siècle. Comme de nombreux écrivains de la génération romantique, il fut séduit par l'enthousiasme napoléonien et profondément meurtri par la défaite de l'Empire.

À retenir

Le XIXe siècle est marqué par de nombreux bouleversements politiques.

QUELQUES REPÈRES HISTORIQUES

De la Révolution de 1789 à la IIIe République (1870-1871), divers régimes politiques se succèdent et il est important de connaître quelques repères chronologiques.

1789-1795 : **la Révolution**.
Louis XVI est guillotiné le 21 janvier 1793.

1795-1799 : **le Directoire**.
Il est composé de cinq directeurs. Le régime repose sur la Constitution de l'an III.

1799-1804 : **le Consulat**.
La France est dirigée par trois consuls. Mais seul le Premier consul, Napoléon Bonaparte, détient réellement le pouvoir.

1804-1815 : **le Premier Empire**.
Le 18 mai 1804, Napoléon est proclamé empereur par le Sénat. Il abdique en 1814, puis revient en 1815 (les Cent-Jours scindent le règne de Louis XVIII) pour

renoncer définitivement au pouvoir en juin 1815.
Il meurt en 1821 à Sainte-Hélène.
1815-1830 : **la Restauration**.
Deux rois se succèdent : Louis XVIII (1814-1815 et 1815-1824) et Charles X (1824-1830).
1830-1848 : **la monarchie de Juillet**.
Après les Trois Glorieuses (journées très troublées de juillet 1830) débute le règne de Louis-Philippe.
1848-1851 : **la IIe République**.
Louis Napoléon Bonaparte, élu président le 10 décembre 1848, réalise un coup d'État le 2 décembre 1851.
1852-1870 : **le Second Empire**.
Napoléon III, proclamé empereur le 2 décembre 1852, capitule à Sedan le 1er septembre 1870 ; il est déchu le 4 septembre.

L'Empire

Les faits historiques

Né en Corse en 1769, Napoléon Bonaparte est un homme de la Révolution qui se fait connaître en menant glorieusement la campagne d'Italie (avril 1796-avril 1797). En 1799, il renverse le Directoire et devient consul : c'est le coup d'État du 18 brumaire (9 novembre). Après avoir été nommé empereur par le Sénat, il se fait sacrer par le pape Pie VII le 2 décembre 1804. Il entreprend de moderniser la France et promulgue le Code civil en 1804. Il se comporte en monarque absolu et parvient à galvaniser ses troupes en obtenant au début de son règne une série de victoires (Marengo, Austerlitz, Wagram…). Il est une sorte de demi-dieu pour ses soldats à qui il communique un enthousiasme que Stendhal partagera. À partir de 1812, une série de défaites provoque la chute du régime. La campagne de Russie (1812) a fait plus de 500 000 morts dans la Grande Armée. Napoléon abdique en 1814. Il est exilé à l'île d'Elbe d'où il s'évade en février 1815. Il rentre à Paris et lève une nouvelle armée. C'est la période des Cent-Jours. Le 18 juin, c'est le désastre de Waterloo. Napoléon abdique le 22 juin. Il est exilé à Sainte-Hélène où il meurt le 4 mai 1821.

La légende napoléonienne

Napoléon sait parler à ses troupes et obtenir l'adhésion totale de ses soldats. Il récompense le courage par des décorations ou l'accession à une noblesse d'Empire. Il soigne son image en emmenant des peintres sur les champs de bataille. *Le Mémorial de Sainte-Hélène* réunit des souvenirs dictés par Napoléon à Las Cases ; paru en 1823, il contribue à créer la légende napoléonienne dans une période où l'idéal révolutionnaire ainsi que l'enthousiasme conquérant de l'Empire ont fait place à un régime vécu comme un retour en arrière. Les écrivains romantiques font de cet homme qui connut la gloire, puis la solitude de l'exil, un héros légendaire.

À retenir

Napoléon Bonaparte suscite un immense enthousiasme.

Les écrivains romantiques admirent Napoléon.

La Restauration

Après l'abdication de Napoléon en 1814, Louis XVIII prend le pouvoir. Il sera chassé durant la période des Cent-Jours mais s'installera pour plusieurs années à partir de 1815. Il ne s'agit certes pas d'une monarchie absolue comme celle que la France a connue avant la Révolution. Le régime est parlementaire ; mais le terme même de Restauration évoque un retour à un ordre ancien. D'ailleurs, Louis XVIII restitue aux nobles les biens confisqués lors de la Révolution. Ceux qui, comme Stendhal, ont admiré Napoléon et tenté de faire carrière dans la société de l'Empire n'ont pas d'avenir dans le monde de la Restauration. C'est ce qu'exprime par exemple Balzac dans un petit roman, *Le Colonel Chabert*, qui paraît trois ans après *Vanina Vanini.* Stendhal, marqué par la période de l'Empire, cherche en Italie l'enthousiasme qu'il a perdu avec la Restauration. Avouant sa sympathie pour les carbonari et l'idéal patriotique italien, il sera expulsé de Milan en 1821.

À retenir

Les anciens admirateurs de Napoléon ne trouvent plus leur place dans la société de la Restauration.

Et en Italie...

Depuis l'Antiquité, l'Italie est divisée en plusieurs États qui sont l'enjeu des rivalités européennes. C'est la Révolution française puis Napoléon Bonaparte qui entament le processus de l'unité italienne. Mais après le départ définitif de l'empereur en 1815, la situation initiale est restaurée : l'Italie est divisée en différents royaumes : la Lombardie et la Vénétie qui subissent l'autorité de l'Autriche, le Piémont et la Sardaigne qui forment un seul État, les États du pape, le royaume de Naples ainsi que quelques principautés indépendantes. La prise de conscience d'un sentiment national et le désir de l'unité italienne se développent dans les milieux lettrés de l'aristocratie et de la bourgeoisie. Ce sont les prémices du *Risorgimento* (Résurrection ou Renaissance, c'est-à-dire renaissance d'une Italie unie) et la naissance du mouvement clandestin des carbonari (la charbonnerie)

Après l'insurrection napolitaine de 1820 : la répression.

qui tirent leur nom du fait qu'ils se réunissent dans des huttes de charbonniers. Ces patriotes prônent à la fois la liberté héritée des idées révolutionnaires françaises, l'unité et l'indépendance (contre l'Autriche) nationales. Au début des années 1820, plusieurs révoltes éclatent dans le Piémont et à Naples ; elles sont maîtrisées par les Autrichiens. L'aspiration à l'indépendance et à l'unité prend de l'ampleur.

Après les journées révolutionnaires des Trois Glorieuses à Paris en 1830, les patriotes italiens proclament des gouvernements provisoires (1831-1832) à Bologne, Parme et Modène. Les Autrichiens, en employant leur armée, brisent cet élan et rétablissent l'ordre politique initial.

À retenir

Les carbonari prônent l'unité et la liberté italiennes.

L'échec de ces insurrections nationalistes contribue à développer un désir d'indépendance et d'unité dans les différents royaumes. Giuseppe Mazzini joue un rôle très important dans la propagation de ce sentiment national. De Marseille où il est exilé, il fonde la « Jeune Italie » dont la devise est « Dieu, le peuple, l'humanité ». Ce mouvement, qui prend la relève de la charbonnerie, s'infiltre dans toute la péninsule grâce à de nombreuses sections locales.

Tandis qu'en France l'année 1848 est marquée par des insurrections, les partisans de l'indépendance et de l'unité nationale entament une véritable guerre. Charles-Albert de Piémont-Sardaigne entreprend de lutter contre le joug autrichien avec l'appui des différents États italiens. Il adopte le drapeau tricolore (vert, blanc, rouge) qui devient le symbole de l'unité italienne. Les Autrichiens triomphent ; Charles-Albert abdique. L'absolutisme triomphe, sauf en Piémont-

Sardaigne qui garde sa nouvelle constitution sous le règne de Victor-Emmanuel II.
Avec l'appui de Napoléon III, Victor-Emmanuel II mène une nouvelle guerre contre l'Autriche (1859-1860). Les indépendantistes se soulèvent de nouveau. Le plus actif d'entre eux est sans doute Giuseppe Garibaldi. Le 17 mars 1861, Victor-Emmanuel II est proclamé *« roi d'Italie par la grâce de Dieu et la volonté de la nation »*. La Vénétie (Venise) ne sera italienne qu'en 1866 et Rome en 1870.

À retenir

Le roi Victor-Emmanuel II devient roi d'Italie en 1861.

Construction d'une barricade à Milan le 18 mars 1848, lithographie.

La littérature française dans la première moitié du XIXe siècle

La population des villes s'accroît et l'accès à la littérature commence à se démocratiser. Le genre romanesque a beaucoup de succès tandis que les pièces de théâtre sont l'occasion de querelles et de débats. Les écrivains du début du XIXe siècle, comme Musset ou Stendhal, connaissent le « mal du siècle ». Fervents admirateurs de Napoléon, ils ne parviennent cependant pas à trouver leur place dans le monde sans idéal et sans gloire de la Restauration.

Venu d'Allemagne, le romantisme constitue un tournant dans la vie littéraire. L'écrivain nous parle de lui-même, de ses sentiments, de sa souffrance. Il rejette les règles et les modèles du classicisme (XVIIe siècle) pour prôner le mélange des genres et des registres. Stendhal publie en 1823 *Racine et Shakespeare* dans lequel il prend parti pour les romantiques contre les partisans du modèle classique racinien (Racine est un auteur de tragédies du XVIIe siècle). C'est aussi la position de Victor Hugo dans la *Préface* de sa pièce *Cromwell* (1827). En 1830, la première représentation de *Hernani* de Hugo est l'occasion d'une véritable bataille entre les tenants du classicisme et les romantiques.

Les romanciers de la première moitié du XIXe siècle tentent de donner une image fidèle de leur époque tout en accordant aux passions et à l'imagination une large place. C'est ce que l'on voit chez Balzac, dans les romans de Victor Hugo ou chez Stendhal.

À retenir

Le romantisme s'oppose au classicisme.

Au début du XIXe siècle, les écrivains cherchent à exprimer la réalité.

Art de la chronique, art de la nouvelle

Stendhal est connu essentiellement pour les deux célèbres romans que sont *Le Rouge et le Noir* (1830) et *La Chartreuse de Parme* (1839). Mais il a écrit également des nouvelles souvent réunies sous le titre posthume de *Chroniques italiennes*. Au XIXe siècle, il est fréquent que les romanciers écrivent à la fois de longs romans et de brefs récits. On peut penser, par exemple, à Victor Hugo qui écrivit aussi bien *Les Misérables* et *Notre-Dame de Paris* que *Le Dernier Jour d'un condamné*. C'est aussi le cas, plus tard, de Flaubert (*Madame Bovary* et *Un cœur simple*) ou de Maupassant (*Bel-Ami* et *Le Horla*).

À cette époque où tous les genres littéraires narratifs connaissent un grand succès, l'écrivain affiche souvent sa volonté de donner au lecteur une image fidèle de la réalité. Tel est le projet de Balzac et, vers la fin du siècle, les écrivains naturalistes comme Émile Zola et Guy de Maupassant adoptent une démarche scientifique pour exprimer le réel. Stendhal, lui aussi, cherche à rendre compte du monde qui l'entoure. C'est ainsi que, s'inspirant de récits réels lus chez une amie, Teresa Caetani, en 1833, il compose des chroniques qui seront réunies et publiées en 1839 sous le titre de *Chroniques italiennes*. Il est d'usage de placer dans ce recueil *Vanina Vanini* qui date cependant de 1829. Un recueil, plus complet, sera publié à titre posthume.

À retenir

L'écrivain affirme sa volonté de représenter le réel.

VANINA VANINI : UNE CHRONIQUE ?

Vanina Vanini est le récit d'une passion amoureuse tragique entre deux êtres épris d'un idéal. Si l'intrigue est imaginaire, le cadre de la nouvelle est historique et l'on connaît la sympathie de Stendhal pour les libéraux italiens et les carbonari : elle lui a valu de devoir quitter Rome en 1821.

• **L'histoire**

Les références historiques ancrent le récit fictif et nouent ensemble les événements qui jalonnent le parcours vers l'unité italienne, le contexte européen et l'histoire de France susceptible de toucher un lectorat français. En effet, l'élément qui arrache Missirilli au bonheur de la passion comblée est une évocation de Napoléon : « *En 1796, comme le général Bonaparte quittait Brescia, les municipaux qui l'accompagnaient à la porte de la ville lui disaient que les Bressans aimaient la liberté par-dessus tous les autres Italiens. – Oui, répondit-il, ils aiment à en parler à leurs maîtresses.* » La situation esquissée rappelle celle de Missirilli lui-même. Dans l'imaginaire stendhalien, comme dans celui de nombreux romantiques du début du XIXe siècle, Napoléon est associé à un idéal enthousiasmant de liberté. Le contexte européen est également une donnée de l'histoire : lorsque Missirilli fait allusion « *à l'intervention des rois de l'Europe* », Stendhal évoque, dans les guerres d'Italie, les rivalités européennes.
Stendhal éclaire son récit de notes qui précisent le contexte italien. Il s'agit du « *mot de Pétrarque en 1350* », « *Liberar l'Italia de'barbari* », d'une indication sur la mort mystérieuse de Cagliostro au château de San Leo ou bien encore d'une observation sur le comportement des Romains comparé à celui des Parisiens.
Les lieux dans lesquels se déroule l'intrigue sont ceux d'une Italie bien réelle : Rome ou la Romagne, les États

À retenir

Stendhal situe son intrigue dans un contexte historique.

L'intrigue se déroule dans un cadre géographique bien réel.

du pape. Mais aussi des châteaux connus comme le fort Saint-Ange d'où Missirilli s'évade et où il sera enfermé lors de son jugement à Rome.
Par-delà les références et l'ancrage géographiques, la chronique se caractérise également par une analyse de la société romaine dans sa spécificité (voir la note de la page 36) et dans des rouages qui évoquent sans doute la société française contemporaine de Stendhal. Il s'agit notamment de l'analyse du pouvoir de l'argent et de celle de la justice liée au pouvoir politique.
À plusieurs reprises, en effet, Vanina cherche à asseoir son pouvoir sur Missirilli grâce à l'argent. L'intrigue se noue entre une riche princesse romaine et le fils d'un chirurgien de campagne épris de liberté et d'idéal. La différence sociale est grande et Vanina, lorsqu'elle sent que le carbonaro lui échappe, n'hésite pas à lui proposer sa fortune. On a parfois l'impression que, pour la jeune fille, tout s'achète et que rien ne doit s'opposer à ses désirs. Elle est princesse et elle commande : tous lui doivent obéissance, qu'il s'agisse de Livio Savelli, du ministre de la police et surtout de Pietro Missirilli.
Dans un autre domaine, Stendhal analyse les rouages de la justice. Le tribunal réuni pour juger les carbonari a été choisi par le parti ultra : « *le parti ultra fit composer la commission qui devait les juger des prélats les plus ambitieux* ». Non seulement ces prélats optent pour la peine de mort mais ils demandent « *des supplices atroces* ». En définitive, le ministre de la police puis le pape auront le dernier mot : aucun des carbonari, y compris leur chef, ne sera condamné à mort. Le procès n'était donc qu'un simulacre de procès. La justice est indissolublement liée au pouvoir politique et religieux.

À retenir

Stendhal analyse la société italienne.

• La fiction

Le cadre géographique et historique qui caractérise la chronique contribue à créer une illusion de réalité. L'histoire fictive semble d'autant plus vraie qu'elle s'enracine dans un contexte réel. *« C'est à cette époque que finit de s'organiser l'une des moins folles conspirations qui aient été tentées dans la malheureuse Italie.* […] *Je me contenterai de dire que, si le succès eût couronné l'entreprise, Missirilli eût pu réclamer une bonne part de gloire »*, peut-on lire page 37. On voit ici se tisser étroitement les fils de l'histoire et de la fiction et l'intervention de Stendhal *(« Je me contenterai de dire »)* joue un rôle non négligeable dans cette impression de réel.

À retenir

Vanina Vanini raconte l'histoire d'un amour impossible.

La trame fictive emprunte aux traditions des amours impossibles et condamnés, au déchirement des héros tragiques. L'histoire s'ouvre sur un bal qui rappelle *La Princesse de Clèves* de Madame de La Fayette (voir pp. 7 et 100) et les hyperboles mélioratives employées esquissent un univers proche de celui des contes. Tout sépare la princesse et le carbonaro : l'argent, le pouvoir, la distance entre la campagne et Rome. Pourtant, ils vont s'aimer passionnément et Vanina sera prête à tout pour garder Missirilli : l'acheter, le dénoncer, séduire Livio Savelli et le ministre de la police. Mais ce qui fait que Vanina peut aimer Missirilli, le carbonaro de campagne, c'est qu'il a acquis une noblesse morale qui dépasse les privilèges du rang. C'est ce que la jeune fille dit au début : *« celui-là a fait quelque chose de plus que de se donner la peine de naître »*. Et c'est ce qu'elle dira à nouveau lorsque Missirilli refusera sa main : *« Tu es un grand homme comme nos anciens Romains. »*

La noblesse de Missirilli est étroitement liée à la cause qu'il défend et à la liberté pour laquelle il se bat. La situation est donc sans issue : par cela même qui a fait que Vanina a aimé le carbonaro, elle le perdra. En ce sens, on peut parler de héros tragiques. Missirilli est, à certains moments de l'histoire, déchiré entre son amour pour Vanina et sa cause politique ; Vanina aime celui qu'elle va inévitablement perdre et, pour tenter de le garder, elle le dénonce, ce qui fera justement que Missirilli la haïra pour toujours.
Vanina Vanini est une histoire d'amour impossible qui s'inscrit dans un cadre géographique et historique réel. Mais cette nouvelle tire surtout sa force de sa brièveté.

Vanina Vanini : une nouvelle ?

À la différence du roman, la nouvelle présente une action resserrée : peu de personnages, un décor épuré, une intrigue simple. Et c'est par ce resserrement même qu'elle touche le lecteur.

À retenir

Le nombre des personnages de la nouvelle est réduit.

- **Les personnages**

Toute l'intrigue est centrée sur deux personnages, Vanina Vanini et Pietro Missirilli. Autour de ces deux personnages, peu sont nommés et peu interviennent dans le déroulement de l'histoire. Bien souvent, Stendhal se contente d'esquisser une silhouette : le pape (non nommé), le cardinal-légat, l'ancienne servante… Tous ces personnages secondaires n'ont pas de nom, ce qui concourt à resserrer l'intrigue sur les deux amants. On pourrait dire que le nom même de la jeune fille, dans lequel le jeu de reprise nous surprend, concourt lui aussi à ce resserrement.

Art de la chronique, art de la nouvelle

• Les scènes

L'intrigue se joue autour de quelques scènes qui sont déterminantes : le bal à Rome, la première rencontre, la demande en mariage… Stendhal donne l'impression de juxtaposer ces scènes en recourant abondamment au procédé de l'ellipse. On peut relever en effet de nombreuses expressions telles *« quelques jours après »*, *« quatre mois passèrent bien vite »*, *« deux jours après »*…

• L'implicite

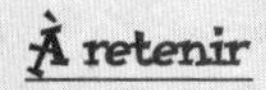

L'ellipse est un procédé fréquent chez Stendhal.

L'art de la nouvelle consiste à jouer sur l'implicite.

Les personnages secondaires ne sont pas toujours nommés et bien souvent Stendhal ouvre des pistes que le lecteur choisira ou non de suivre. C'est ce qui se passe lorsque Vanina va voir Missirilli lors de son transfert de la prison de Forli au fort Saint-Ange : la scène se déroule à Città-Castellana et l'on peut se demander si la jeune fille n'est pas déguisée en vieille femme *(« une vieille femme lui jeta un bouquet de violettes »)*. Mais rien n'est sûr car la scène est comme tracée en pointillés. De même, les dernières lignes de la nouvelle témoignent de cet art de l'implicite : l'anéantissement de Vanina s'exprime dans son mariage avec Livio Savelli.

Ainsi, *Vanina Vanini* tire en partie son naturel et son illusion de réalité du genre de la chronique. Les événements imaginaires se situent dans un cadre historique et géographique bien réel. Il s'agit à la fois d'évoquer un moment de l'histoire italienne et de conter l'histoire atemporelle d'un amour tragique. La nouvelle se lit comme une esquisse qui fait appel à toute l'imagination du lecteur ; Stendhal cultive l'art de la brièveté et de l'implicite.

Groupement de textes : La première rencontre

Dans *Vanina Vanini*, Stendhal nous raconte l'histoire de la passion impossible d'une jeune aristocrate romaine pour un carbonaro dévoué à sa cause. Le thème de l'amour impossible traverse la littérature et l'histoire d'une passion amoureuse est l'armature romanesque de nombreuses œuvres. Dans *De l'amour*, Stendhal analyse de manière très méticuleuse et presque scientifique les mécanismes de la passion, et notamment la naissance de l'amour. La première rencontre est d'ailleurs un véritable archétype du roman ; ainsi Stendhal, dans *Vanina Vanini*, n'hésite pas à reprendre, pour mieux en jouer, la scène du bal imaginée par Madame de La Fayette dans *La Princesse de Clèves*, scène au cours de laquelle la princesse de Clèves tombe amoureuse du duc de Nemours. Les coups de foudre sont nombreux dans les romans et il est intéressant de voir comment se raconte, au cours des siècles, la naissance de l'amour.

De l'amour de Stendhal, 1822

On peut commencer notre parcours des scènes de première rencontre par quelques extraits de l'œuvre que Stendhal a consacrée à l'analyse du sentiment amoureux. *De l'amour* est publié à Milan en 1822, alors que Stendhal vient de se voir repoussé par Métilde Dembrowska.

DE LA NAISSANCE DE L'AMOUR

Voici ce qui se passe dans l'âme :

1° L'admiration.

2° On se dit : Quel plaisir de lui donner des baisers, d'en recevoir, etc. !

3° L'espérance.

On étudie les perfections ; c'est à ce moment qu'une femme devrait se rendre, pour le plus grand plaisir physique possible. Même chez les femmes les plus réservées, les yeux rougissent au moment de l'espérance. La passion est si forte, le plaisir si vif qu'il se trahit par des signes frappants.

4° L'amour est né.

Aimer, c'est avoir du plaisir à voir, toucher, sentir par tous les sens, et d'aussi près que possible un objet aimable et qui nous aime.

5° La première cristallisation commence.

On se plaît à orner de mille perfections une femme de l'amour de laquelle on est sûr ; on se détaille tout son bonheur avec une complaisance[1] infinie. Cela se réduit à s'exagérer une propriété superbe, qui vient de nous tomber du ciel, que l'on ne connaît pas, et de la possession de laquelle on est assuré.

Laissez travailler la tête d'un amant pendant vingt-quatre heures, et voici ce que vous trouverez :

Aux mines de sel de Salzbourg[2], on jette, dans les profondeurs abandonnées de la mine, un rameau d'arbre effeuillé par l'hiver ; deux ou trois mois après on le retire couvert de cristallisations brillantes : les plus petites branches, celles qui ne sont pas plus grosses que la patte d'une mésange, sont garnies d'une infinité de diamants, mobiles et éblouissants ; on ne peut plus reconnaître le rameau primitif.

Ce que j'appelle cristallisation, c'est l'opération de l'esprit, qui tire de tout ce qui se présente la découverte que l'objet aimé a de nouvelles perfections. […]

Voici ce qui survient pour fixer l'attention :

1. complaisance : satisfaction qui incite à poursuivre.

2. Salzbourg : ville d'Autriche.

6° Le doute naît.

Après que dix ou douze regards, ou toute autre série d'actions qui peuvent durer un moment comme plusieurs jours, ont d'abord donné et ensuite confirmé les espérances, l'amant, revenu de son premier étonnement et s'étant accoutumé à son bonheur, ou guidé par la théorie qui, toujours basée sur les cas les plus fréquents, ne doit s'occuper que des femmes faciles, l'amant, dis-je, demande des assurances plus positives, et veut pousser son bonheur.

On lui oppose de l'indifférence, de la froideur ou même de la colère, s'il montre trop d'assurance ; en France, une nuance d'ironie qui semble dire : « Vous vous croyez plus avancé que vous ne l'êtes. » Une femme se conduit ainsi, soit qu'elle se réveille d'un moment d'ivresse et obéisse à la pudeur, qu'elle tremble d'avoir enfreinte[1], soit simplement par prudence ou par coquetterie.

L'amant arrive à douter du bonheur qu'il se promettait ; il devient sévère sur les raisons d'espérer qu'il a cru voir.

Il veut se rabattre sur les autres plaisirs de la vie, *il les trouve anéantis*. La crainte d'un affreux malheur le saisit, et avec elle l'attention profonde.

7° Seconde cristallisation.

Alors commence la seconde cristallisation produisant pour diamants des confirmations à cette idée :

Elle m'aime.

À chaque quart d'heure de la nuit qui suit la naissance des doutes, après un moment de malheur affreux, l'amant se dit : Oui, elle m'aime ; et la cristallisation se tourne à découvrir de nouveaux charmes ; puis le doute à l'œil hagard[2] s'empare de lui, et l'arrête en sursaut. Sa poitrine oublie de respirer ; il se dit : Mais est-ce qu'elle m'aime ?

Stendhal, *De l'amour*, 1822.

1. d'avoir enfreinte : de ne pas avoir respectée.

2. hagard : effaré.

La Princesse de Clèves de Madame de La Fayette, 1678

En 1678, Madame de La Fayette fait paraître *La Princesse de Clèves*, un roman qui raconte l'amour impossible entre Madame de Clèves et le duc de Nemours. Déchirée entre son devoir de femme mariée et sa passion, la princesse de Clèves est une héroïne tragique dont Madame de La Fayette analyse les souffrances. Dans le passage qui suit, Madame de Clèves, qui a déjà entendu vanter la beauté de Monsieur de Nemours mais qui ne l'a pas encore rencontré, se prépare pour aller à un bal donné pour célébrer les fiançailles d'une fille d'Henri II avec un prince de Lorraine.

[Madame de Clèves] passa tout le jour des fiançailles chez elle à se parer, pour se trouver le soir au bal et au festin royal qui se faisaient au Louvre. Lorsqu'elle arriva, l'on admira sa beauté et sa parure ; le bal commença, et comme elle dansait avec Monsieur de Guise, il se fit un assez grand bruit vers la porte de la salle, comme de quelqu'un qui entrait, et à qui on faisait place. Madame de Clèves acheva de danser et pendant qu'elle cherchait des yeux quelqu'un qu'elle avait dessein[1] de prendre, le roi lui cria de prendre celui qui arrivait. Elle se tourna, et vit un homme qu'elle crut d'abord ne pouvoir être que Monsieur de Nemours, qui passait par-dessus quelques sièges pour arriver où l'on dansait. Ce prince était fait d'une sorte, qu'il était difficile de n'être pas surprise de le voir quand on ne l'avait jamais vu, surtout ce soir-là, où le soin qu'il avait pris de se parer augmentait encore l'air brillant qui était dans sa personne ; mais il était difficile aussi de voir Madame de Clèves pour la première fois, sans avoir un grand étonnement.

1. *avait dessein* : avait l'intention

Monsieur de Nemours fut tellement surpris de sa beauté que, lorsqu'il fut proche d'elle, et qu'elle lui fit la révérence, il ne put s'empêcher de donner des marques de son admiration. Quand ils commencèrent à danser, il s'éleva dans la salle un murmure de louanges. Le roi et les reines se souvinrent qu'ils ne s'étaient jamais vus, et trouvèrent quelque chose de singulier[1] de les voir danser ensemble sans se connaître. Ils les appelèrent quand ils eurent fini, sans leur donner le loisir[2] de parler à personne, et leur demandèrent s'ils n'avaient pas bien envie de savoir qui ils étaient, et s'ils ne s'en doutaient point.

– Pour moi, Madame, dit Monsieur de Nemours, je n'ai pas d'incertitude ; mais comme Madame de Clèves n'a pas les mêmes raisons pour deviner qui je suis que celles que j'ai pour la reconnaître, je voudrais bien que Votre Majesté eût la bonté de lui apprendre mon nom.

– Je crois, dit Madame la Dauphine[3], qu'elle le sait aussi bien que vous savez le sien.

– Je vous assure, Madame, reprit Madame de Clèves, qui paraissait un peu embarrassée, que je ne devine pas si bien que vous pensez.

– Vous devinez fort bien, répondit Madame la Dauphine ; et il y a même quelque chose d'obligeant[4] pour Monsieur de Nemours, à ne vouloir pas avouer que vous le connaissez sans l'avoir jamais vu.

La reine les interrompit pour faire continuer le bal ; Monsieur de Nemours prit la reine dauphine. Cette princesse était d'une parfaite beauté, et avait paru telle aux yeux de Monsieur de Nemours, avant qu'il allât en Flandre ; mais de tout le soir, il ne put admirer que Madame de Clèves.

Madame de La Fayette, *La Princesse de Clèves*, 1678.

---

1. singulier : inhabituel, extraordinaire.

2. loisir : occasion, possibilité.

3. Dauphine : épouse de l'héritier du trône ; ici, Marie Stuart.

4. obligeant : agréable, flatteur.

Le Rouge et le Noir de Stendhal, 1830

Julien Sorel se présente chez Monsieur et Madame de Rênal pour être précepteur de leurs enfants.

Avec la vivacité et la grâce qui lui étaient naturelles quand elle était loin des regards des hommes, Madame de Rênal sortait par la porte-fenêtre du salon qui donnait sur le jardin, quand elle aperçut près de la porte d'entrée la figure d'un jeune paysan presque encore enfant, extrêmement pâle et qui venait de pleurer. Il était en chemise bien blanche, et avait sous le bras une veste fort propre en ratine[1] violette.

Le teint de ce petit paysan était si blanc, ses yeux si doux, que l'esprit un peu romanesque de madame de Rênal eut d'abord l'idée que ce pouvait être une jeune fille déguisée, qui venait demander quelque grâce à M. le maire[2]. Elle eut pitié de cette pauvre créature, arrêtée à la porte d'entrée, et qui, évidemment, n'osait pas lever la main jusqu'à la sonnette. Madame de Rênal s'approcha, distraite un instant de l'amer chagrin[3] que lui donnait l'arrivée du précepteur. Julien, tourné vers la porte, ne la voyait pas s'avancer. Il tressaillit quand une voix douce dit tout près de son oreille :

– Que voulez-vous ici, mon enfant ?

Julien se tourna vivement, et, frappé du regard si rempli de grâce de Madame de Rênal, il oublia une partie de sa timidité. Bientôt, étonné de sa beauté, il oublia tout, même ce qu'il venait faire. Madame de Rênal avait répété sa question.

– Je viens pour être précepteur, Madame, lui dit-il enfin, tout honteux de ses larmes qu'il essuyait de son mieux.

Madame de Rênal resta interdite, ils étaient fort près l'un de l'autre à se regarder. Julien n'avait jamais vu un être aussi bien vêtu et surtout une femme avec un teint si éblouissant, lui parler d'un air doux. Madame de Rênal regardait les grosses larmes qui s'étaient arrêtées sur les jours si pâles d'abord et

---

1. ***ratine :*** laine.
2. ***maire :*** Monsieur de Rênal est maire du village.
3. ***chagrin :*** Madame de Rênal craint que le précepteur choisi par son mari soit dur avec ses enfants.

maintenant si roses de ce jeune paysan. Bientôt elle se mit à rire, avec toute la gaieté folle d'une jeune fille, elle se moquait d'elle-même, et ne pouvait se figurer tout son bonheur. Quoi, c'était là ce précepteur qu'elle s'était figuré comme un prêtre sale et mal vêtu, qui viendrait gronder et fouetter ses enfants !

Stendhal, *Le Rouge et le Noir*, Ire partie, chap. 6, 1830.

Le Lys dans la vallée d'Honoré de Balzac, 1835

Félix de Vandenesse rencontre dans un bal une femme, Madame de Mortsauf, qu'il n'aura de cesse de retrouver.

Il était impossible de sortir, je me réfugiai dans un coin au bout d'une banquette abandonnée, où je restai les yeux fixes, immobile et boudeur. Trompée par la chétive[1] apparence, une femme me prit pour un enfant prêt à s'endormir en attendant le bon plaisir de sa mère, et se posa près de moi par un mouvement d'oiseau qui s'abat sur son nid. Aussitôt je sentis un parfum de femme qui brilla dans mon âme comme y brilla depuis la poésie orientale. Je regardai ma voisine, et fus plus ébloui par elle que je ne l'avais été par la fête ; elle devint toute ma fête. Si vous avez bien compris ma vie antérieure, vous devinerez les sentiments qui sourdirent[2] en mon cœur. Mes yeux furent tout à coup frappés par de blanches épaules rebondies sur lesquelles j'aurais voulu pouvoir me rouler, des épaules légèrement rosées qui semblaient rougir comme si elle se trouvaient nues pour la première fois, de pudiques épaules qui avaient une âme, et dont la peau satinée éclatait à la lumière comme un tissu de soie. Ces épaules étaient partagées par une raie, le long de laquelle coula mon regard, plus hardi que ma main. Je me haussai tout palpitant pour voir le corsage et fus complètement fasciné par une gorge chastement[3] couverte d'une gaze, mais dont les globes azurés d'une rondeur parfaite étaient douillettement couchés

---

1. *chétive :* fragile.

2. *sourdirent :* prirent naissance.

3. *chastement :* pudiquement.

dans des flots de dentelle. Les plus légers détails de cette fête furent des amorces qui réveillèrent en moi des jouissances infinies ; le brillant des cheveux lissés au-dessus d'un cou velouté comme celui d'une petite fille, les lignes blanches que le peigne y avait dessinées et où mon imagination courut comme en de frais sentiers, tout me fit perdre l'esprit. Après m'être assuré que personne ne me voyait, je me plongeai dans ce dos comme un enfant qui se jette dans le sein de sa mère, et je baisai toutes ces épaules en y roulant ma tête.

Honoré de Balzac, *Le Lys dans la vallée*, 1835.

L'Éducation sentimentale de Gustave Flaubert, 1869

S'inspirant de son amour pour Elisa Schlésinger, Flaubert raconte, dans *L'Éducation sentimentale*, la passion de Frédéric Moreau pour Madame Arnoux. Mais, dans la société médiocre du XIXe siècle, il n'est pas, selon Flaubert, de place pour les héros romantiques et Frédéric ne saura pas accomplir ses rêves de jeune homme. La première rencontre entre le héros et Madame Arnoux a lieu sur un bateau entre Paris et Nogent-sur-Seine.

Le pont[1] était sali par des écales de noix, des bouts de cigares, des pelures de poires, des détritus de charcuterie apportée dans du papier ; trois ébénistes, en blouse, stationnaient devant la cantine ; un joueur en haillons se reposait, accoudé sur son instrument ; on entendait par intervalles le bruit du charbon de terre dans le fourneau, un éclat de voix, un rire ; – et le capitaine, sur la passerelle, marchait d'un tambour à l'autre, sans s'arrêter. Frédéric, pour rejoindre sa place, poussa la grille des Premières, dérangea deux chasseurs avec leurs chiens.

Ce fut comme une apparition :

---

1. ***pont :*** pont du navire.

Elle était assise, au milieu du banc, toute seule ; ou du moins il ne distingua personne, dans l'éblouissement que lui envoyèrent ses yeux. En même temps qu'il passait, elle leva la tête ; il fléchit involontaiement les épaules ; et, quand il se fut mis plus loin, du même côté, il la regarda.

Elle avait un large chapeau de paille, avec des rubans roses qui palpitaient au vent derrière elle. Ses bandeaux noirs, contournant la pointe de ses grands sourcils, descendaient très bas et semblaient presser amoureusement l'ovale de sa figure. Sa robe de mousseline claire, tachetée de petits pois, se répandait à plis nombreux. Elle était en train de broder quelque chose ; et son nez droit, son menton, toute sa personne se découpait sur le fond de l'air bleu.

Comme elle gardait la même attitude, il fit plusieurs tours de droite et de gauche pour dissimuler sa manœuvre ; puis il se planta tout près de son ombrelle, posée contre le banc, et il affectait d'observer une chaloupe sur la rivière.

Jamais il n'avait vu cette splendeur de sa peau brune, la séduction de sa taille, ni cette finesse des doigts que la lumière traversait. Il considérait son panier à ouvrage avec ébahissement[1], comme une chose extraordinaire. Quels étaient son nom, sa demeure, sa vie, son passé ? Il souhaitait connaître les meubles de sa chambre, toutes les robes qu'elle avait portées, les gens qu'elle fréquentait ; et le désir de la possession physique même disparaissait sous une envie plus profonde, dans une curiosité douloureuse qui n'avait pas de limites.

Une négresse, coiffée d'un foulard, se présenta en tenant par la main une petite fille, déjà grande. L'enfant, dont les yeux roulaient des larmes, venait de s'éveiller. Elle la prit sur ses genoux. « Mademoiselle n'était pas sage, quoiqu'elle eût sept ans bientôt ; sa mère ne l'aimerait plus ; on lui pardonnait trop ses caprices. » Et Frédéric se réjouissait d'entendre ces choses, comme s'il eût fait une découverte, une acquisition.

Il la supposait d'origine andalouse, créole peut-être ; elle avait ramené des îles cette négresse avec elle ?

1. ébahissement : profond étonnement, stupeur.

Cependant, un long châle à bandes violettes était placé derrière son dos, sur le bordage de cuivre. Elle avait dû, bien des fois, au milieu de la mer, durant les soirs humides, en envelopper sa taille, s'en couvrir les pieds, dormir dedans ! Mais, entraîné par les franges, il glissait peu à peu, il allait tomber dans l'eau ; Frédéric fit un bond et le rattrapa. Elle lui dit :
« Je vous remercie, Monsieur. »
Leurs yeux se rencontrèrent.
« Ma femme, es-tu prête ? » cria le sieur Arnoux apparaissant dans le capot de l'escalier.

Gustave Flaubert, *L'Éducation sentimentale*, tome I, 1869.

Aurélien de Louis Aragon, 1944

Bérénice Morel est venue passer quelques jours à Paris. Aurélien, un ami de son cousin, tombe amoureux d'elle. Le roman s'ouvre sur le récit original d'une première rencontre.

La première fois qu'Aurélien vit Bérénice, il la trouva franchement laide. Elle lui déplut, enfin. Il n'aima pas comment elle était habillée. Une étoffe qu'il n'aurait pas choisie. Il avait des idées sur les étoffes. Une étoffe qu'il avait vue sur plusieurs femmes. Cela lui fit mal augurer de celle-ci qui portait un nom de princesse d'Orient[1] sans avoir l'air de se considérer dans l'obligation d'avoir du goût. Ses cheveux étaient ternes ce jour-là, mal tenus. Les cheveux coupés, ça demande des soins constants. Aurélien n'aurait pas pu dire si elle était blonde ou brune. Il l'avait mal regardée. Il lui en demeurait une impression vague, générale, d'ennui et d'irritation. Il se demanda même pourquoi. C'était disproportionné. Plutôt petite, pâle, je crois... Qu'elle se fût appelée Jeanne ou Marie, il n'y aurait pas repensé, après coup. Mais Bérénice. Drôle de superstition. Voilà bien ce qui l'irritait.

Louis Aragon, *Aurélien*, Gallimard, 1944.

---

1. princesse d'Orient : Bérénice est une princesse juive que l'empereur romain Titus voulut épouser ; Racine met en scène son destin dans une tragédie : *Bérénice*.

LE RAVISSEMENT DE LOL V. STEIN DE MARGUERITE DURAS, 1964

Sous les yeux de Lol, sa fiancée, et de l'amie de cette dernière, Tatiana, Michael Richardson tombe amoureux d'Anne-Marie Stretter. Après Stendhal, dans *Vanina Vanini*, Marguerite Duras réécrit la scène du bal imaginée par Madame de La Fayette.

[Lol] dansa encore une fois avec Michael Richardson. Ce fut la dernière fois.
La femme était seule, un peu à l'écart du buffet, sa fille avait rejoint un groupe de connaissances vers la porte du bal. Michael Richardson se dirigea vers elle dans une émotion si intense qu'on prenait peur à l'idée qu'il aurait pu être éconduit. Lol, suspendue, attendit, elle aussi. La femme ne refusa pas.
Ils étaient partis sur la piste de danse. Lol les avait regardés, une femme dont le cœur est libre de tout engagement, très âgée, regarde ainsi ses enfants s'éloigner, elle parut les aimer.
– Il faut que j'invite cette femme à danser.
Tatiana l'avait bien vu agir avec sa nouvelle façon, avancer, comme au supplice, s'incliner, attendre. Elle, avait eu un léger froncement de sourcils. L'avait-elle reconnu elle aussi pour l'avoir vu ce matin sur la plage et seulement pour cela ?
Tatiana était restée auprès de Lol.
Lol avait instinctivement fait quelques pas en direction d'Anne-Marie Stretter en même temps que Michael Richardson. Tatiana l'avait suivie. Alors elles virent : la femme entrouvrir les lèvres pour ne rien prononcer, dans la surprise émerveillée de voir le nouveau visage de cet homme aperçu le matin. Dès qu'elle fut dans ses bras, à sa gaucherie soudaine, à son expression abêtie, figée par la rapidité du coup, Tatiana avait compris que le désarroi qui l'avait envahi, lui, venait à son tour de la gagner.
Lol était retournée derrière le bar et les plantes vertes, Tatiana, avec elle.
Ils avaient dansé. Dansé encore. Lui, les yeux baissés sur l'endroit nu de son épaule. Elle, plus petite, ne regardait que le lointain du bal. Ils ne s'étaient pas parlé.

La première danse terminée, Michael Richardson s'était rapproché de Lol comme il avait toujours fait jusque-là. Il y eut dans ses yeux l'imploration d'une aide, d'un acquiescement. Lol lui avait souri.
Puis, à la fin de la danse qui avait suivi, il n'était pas allé retrouver Lol.
Anne-Marie Stretter et Michael Richardson ne s'étaient plus quittés.

Marguerite Duras, *Le Ravissement de Lol V. Stein,* Gallimard, 1964.

Bibliographie

Romans de Stendhal

– *Le Rouge et le Noir*, 1830.
– *La Chartreuse de Parme*, 1839.

Livres sur Stendhal

– Jean Goldzink, *Stendhal : l'Italie au cœur*, collection « Découvertes Gallimard. Littératures », n° 137, Gallimard, 1992.
– Claude Roy, *Stendhal*, collection « Écrivains de toujours », Éditions du Seuil, nouvelle édition 1995.
– Pierre-Louis Rey, *Stendhal*, collection « Les guides Pocket classiques », n° 6305, Pocket, 2005.

Associations

– *Association des amis de Stendhal*, Bibliothèque historique de la Ville de Paris, 24, rue Pavée, 75004 Paris.
– *Stendhal aujourd'hui*, Michel Crouzet, université Paris IV Sorbonne, 1 rue Victor-Cousin, 75230 Paris Cedex 05.

Sites Internet

– www.armance.com
– http://www.evene.fr/celebre/biographie/stendhal-5.php
– http://membres.lycos.fr/dberdot/maitrise/expose2